S0-CBM-359

LE SUICIDE
l'affaire de tous

Éditrice : Agnès Saint-Laurent
Infographie : Chantal Landry
Révision : Élyse-Andrée Héroux
Correction : Joëlle Bouchard et Sylvie Massariol

Catalogage avant publication de Bibliothèque et Archives nationales du Québec et Bibliothèque et Archives Canada

Lamarre, Suzanne

Le suicide, l'affaire de tous : vers une nouvelle approche

Comprend des références bibliographiques et un index.

ISBN 978-2-7619-3995-9

1. Suicide. 2. Suicide - Prévention. 3. Comportement suicidaire - Traitement. I. Titre.

RC569.L35 2014 616.85'8445 C2013-942609-4

11-14

Dépôt légal : 2014
Bibliothèque et Archives nationales du Québec

ISBN 978-2-7619-3995-9

DISTRIBUTEURS EXCLUSIFS :

Pour le Canada et les États-Unis :
MESSAGERIES ADP inc.*
2315, rue de la Province
Longueuil, Québec J4G 1G4
Téléphone : 450 640-1237
Télécopieur : 450 674-6237
Internet : www.messageries-adp.com
* filiale du Groupe Sogides inc.,
filiale de Québecor Média inc.

Pour la France et les autres pays :
INTERFORUM editis
Immeuble Paryseine, 3, Allée de la Seine
94854 Ivry CEDEX
Téléphone : 33 (0) 1 49 59 11 56/91
Télécopieur : 33 (0) 1 49 59 11 33
Service commandes France Métropolitaine
Téléphone : 33 (0) 2 38 32 71 00
Télécopieur : 33 (0) 2 38 32 71 28
Internet : www.interforum.fr
Service commandes Export – DOM-TOM
Télécopieur : 33 (0) 2 38 32 78 86
Internet : www.interforum.fr
Courriel : cdes-export@interforum.fr

Pour la Suisse :
INTERFORUM editis SUISSE
Case postale 69 – CH 1701 Fribourg – Suisse
Téléphone : 41 (0) 26 460 80 60
Télécopieur : 41 (0) 26 460 80 68
Internet : www.interforumsuisse.ch
Courriel : office@interforumsuisse.ch
Distributeur : OLF S.A.
ZI. 3, Corminboeuf
Case postale 1061 – CH 1701 Fribourg – Suisse
Commandes :
Téléphone : 41 (0) 26 467 53 33
Télécopieur : 41 (0) 26 467 54 66
Internet : www.olf.ch
Courriel : information@olf.ch

Pour la Belgique et le Luxembourg :
INTERFORUM BENELUX S.A.
Fond Jean-Pâques, 6
B-1348 Louvain-La-Neuve
Téléphone : 32 (0) 10 42 03 20
Télécopieur : 32 (0) 10 41 20 24
Internet : www.interforum.be
Courriel : info@interforum.be

Gouvernement du Québec – Programme de crédit d'impôt pour l'édition de livres – Gestion SODEC – www.sodec.gouv.qc.ca

L'Éditeur bénéficie du soutien de la Société de développement des entreprises culturelles du Québec pour son programme d'édition.

Conseil des Arts du Canada — Canada Council for the Arts

Nous remercions le Conseil des Arts du Canada de l'aide accordée à notre programme de publication.

Nous reconnaissons l'aide financière du gouvernement du Canada par l'entremise du Fonds du livre du Canada pour nos activités d'édition.

Dr Suzanne Lamarre

LE SUICIDE
l'affaire de tous

Vers une nouvelle approche

Une société de Québecor Média

Avis au lecteur

Les cas cliniques présentés dans cet ouvrage sont fictifs. Ils ont été construits à partir de mon expérience clinique des quarante dernières années.

Toute ressemblance avec un cas particulier réel ne serait que pure coïncidence.

1re PARTIE

L'IMPRÉVISIBILITÉ DU SUICIDE

CHAPITRE 1

Que faire avec une personne suicidaire ?

La place du suicide dans notre vie

Comment aborder la question du suicide avec un membre de notre famille ou de notre entourage qui nous semble à risque ? Doit-on lui cacher notre inquiétude ou, au contraire, lui poser directement la question sur cette possibilité de suicide ? Comment le faire alors pour ne pas aggraver la situation ? Poser la question du suicide ne peut se faire à la sauvette.

Se préoccuper de l'autre, c'est déjà éprouver de la compassion. Éviter de trop en prendre sur ses épaules est un signe d'intelligence relationnelle[1]. On partagera avec l'autre son inquiétude à son sujet si l'on sait comment éviter de s'enfermer avec lui dans son secret.

L'un des objectifs de cet ouvrage est de permettre aux lecteurs de réfléchir sur le suicide avant même d'y être confrontés. Savoir quoi faire en cas de crise suicidaire en est un autre. Quelle est la place du suicide dans la vie de la personne suicidaire ? Représente-t-il une vie à finir ou une vie à commencer ? Et quelle peut être cette nouvelle vie sans solution suicidaire ?

La mort fait partie de la vie. Sa réalité peut même nous inspirer à vivre pleinement avant qu'elle ne survienne. La mort peut aussi nous délivrer d'une vie rendue à échéance lorsque le corps est touché mortellement. Ce n'est pas de cette mort[2], de cette délivrance dont je veux parler ici, mais de la mort de ceux qui désirent appuyer sur la détente pour mettre fin à leur détresse, à leurs misères, à leurs frustrations ; de ceux qui considèrent cette option comme légitime. Leur esprit peut être troublé momentanément ou depuis longtemps par des réalités intolérables des plus diverses. Mais qu'adviendrait-il si un être qui leur est cherse suicidait ? Lorsqu'on est victime du suicide d'un autre, on le ressent très souvent comme une atteinte à sa propre intégrité, comme si la personne explosait devant soi. Le suicide n'est pas une mort normale.

Une adolescente, après une tentative de suicide, me disait: «Pourquoi ne pas se tuer quand ce n'est plus vivable ? Je n'en voudrais pas à mes parents de le faire s'ils se sentaient aussi misérables que moi.» Pour cette jeune fille, le suicide devait faire partie des choix dont dispose l'humain[3].

Le paradoxe est qu'il n'est pas éthique pour une société de faire du suicide un moyen de mettre fin à des douleurs morales, alors qu'on sait que c'est une réalité humaine. Le suicide n'est pas un crime[4]. Mais une société qui encouragerait ses citoyens à se suicider pour mettre fin à leur douleur morale ne serait pas une société où les droits de la personne seraient protégés, puisqu'on y autoriserait des moyens violents de résoudre les problèmes, en déresponsabilisant l'entourage et en niant l'importance de sa participation à une vie meilleure pour tous.

Néanmoins, le suicide est une réalité possible dans la vie d'une personne. Devrions-nous tous réfléchir sur le suicide pour parvenir à nous donner plus de choix dans la vie ? Comment apprendre à vivre sans plus compter sur le suicide pour mettre fin à nos souffrances[5] ? Par où commencer ?

Mon observation de l'impact des interventions auprès du suicidaire

Comme je suis psychiatre, je vous présenterai d'abord mon quotidien, ce que j'observe dans la pratique psychiatrique actuelle auprès des suicidaires.

THÉRÈSE ET SON FILS NICOLAS : VERS L'OUVERTURE SUR LA VIE

Thérèse est sur le point de partir au travail quand elle reçoit un message texte de sa fille Béatrice : « Nicolas ne répond pas au téléphone, je passe chez lui. » Nicolas a rendez-vous chez un employeur éventuel et Béatrice veut s'assurer qu'il s'y rendra. Nicolas a arrêté ses études et est devenu de plus en plus pessimiste sur ses perspectives de se trouver un emploi. Ses nombreuses démarches antérieures se sont en effet soldées par des échecs, même dans des emplois à salaire minimum.

« Il ne répond ni à la porte ni au téléphone ! » lit Thérèse dans un nouveau message de Béatrice au cours de son trajet en autobus. Rendue à son bureau : « Il n'est pas allé à son rendez-vous et ne voulait rien savoir de moi. Je m'en vais au travail. » Thérèse se sent à la fois irritée et inquiète. Son propre père, un dentiste, s'est pendu un lundi matin au beau milieu de sa carrière, alors que sa femme et ses enfants étaient partis à leurs occupations. Elle appelle Gaston, le père de Nicolas, dont elle est séparée depuis l'entrée au primaire de son fils cadet, pour l'informer de la situation. Gaston ne peut se rendre immédiatement au domicile de son fils, mais il la rassure en lui disant qu'il passera au cours de l'après-midi.

Depuis plus d'un an, Thérèse est préoccupée par l'état de son fils de 20 ans. Elle ne peut s'absenter de la ville sans avoir l'impression de l'abandonner. Elle a consulté avec lui un psychologue et un psychiatre. C'est uniquement à cause de ses rappels répétés qu'il s'est rendu aux rendez-vous fixés. Le diagnostic de troubles dépressifs a été posé, mais Nicolas ne voit pas l'intérêt de recevoir un traitement. Par ailleurs, il se dévalorise, et ses échecs dans sa recherche d'emploi ne font que le maintenir dans sa pauvre estime de soi.

Thérèse est à nouveau hantée par l'éventuel suicide de son fils. Ils ont discuté de suicide au début de cette période difficile, lors d'une rencontre avec le psychiatre, comme d'une solution inacceptable pour tous. On miserait sur l'entraide plutôt que sur des solutions irréversibles. Dans les mois qui ont suivi cette rencontre, Nicolas s'est quelque peu ranimé. Mais avec les échecs récents, il est retombé dans ses vieilles habitudes. Il s'isole de plus en plus, ne répondant même plus aux invitations de la famille. Il néglige même son amie de cœur. Bien loin de voir les soucis comme temporaires, il semble de plus en plus, d'après ses agissements, se considérer lui-même comme la source permanente des problèmes qu'il rencontre. Il se comporte comme un être désespéré, ce qui rappelle à Thérèse l'attitude de son père avant son geste fatal.

Elle décide d'appeler le psychiatre de son fils pour lui demander son aide. Le psychiatre explique qu'il est très important que la famille continue à se préoccuper de Nicolas, car il présente assurément un risque actuel de suicide. Nicolas maugrée, mais accepte l'aide de sa famille et se plie à l'obligation de recourir à des soins. Il a appris, mais il ne sait pas encore très bien le mettre en pratique, qu'il est trop risqué de rester seul dans la détresse. Le risque d'entrer ou de rester dans le tunnel suicidaire et d'en finir devient alors trop grand.

Par un hasard qui relève presque d'un *deus ex machina*, Thérèse apprend, lors d'une sortie avec une amie dans un restaurant de son quartier, que le cuisinier vient de perdre son assistant et qu'il est à la recherche d'une personne intéressée à apprendre le métier. C'est exactement ce que Nicolas recherche, un emploi dans une cuisine de restaurant.

Hasard heureux ! Nicolas s'intègre merveilleusement à l'équipe de cuisine. Il reprend contact avec son entourage. Il parle de ses projets de formation comme pâtissier pour augmenter ses chances de rester avec son nouvel employeur ou encore pour se placer ailleurs, ou même pour lancer ultérieurement sa propre entreprise. Bref, il ne se voit plus comme une erreur ambulante. Il se remet tant à agir qu'à rêver, comme les bien-portants.

Il se rend chez le psychiatre en bon état. Ce dernier peut lui donner des recommandations pour reconnaître les symptômes de la dépression dans ses modes de pensée et lui indiquer des moyens pour faire le vide, ou plutôt le plein, en pratiquant la méditation de la pleine conscience lorsqu'il commence à être envahi par des pensées déprimantes. Quant aux antidépresseurs, Nicolas a cessé de les prendre depuis près de deux mois. Il s'entend avec le psychiatre : s'il ne parvient pas à retrouver son équilibre lors de moments anxieux ou déprimés, il aura grand avantage à prendre des antidépresseurs pour ne pas sombrer trop longtemps dans la dépression et dans l'angoisse. La prévention de la dépression et de l'anxiété paralysante consistera à faire avorter le plus rapidement possible « la déprime » avec ou sans médicaments, dans un contexte de coopération, tout en devenant plus actif dans son approche de pleine conscience.

Mais il y a loin de la coupe aux lèvres. Thérèse, Nicolas, son père et sa sœur réussiront-ils à s'ouvrir de plus en plus à cet idéal d'autoprotection et de coopération ? Le processus est en marche. Mais comment éviter les écueils qui pourraient les ramener à la case départ ?

S'il faut un village pour éduquer un enfant, pour une personne suicidaire, il faut peut-être la coopération de toutes les personnes touchées et concernées par le suicide, surtout celle de la personne suicidaire elle-même, pour reprendre autrement le cours de sa vie et pour s'y maintenir. En cas de risque imminent, l'approche la plus porteuse de succès est l'approche humaniste et chaleureuse.

Mais comment rester chaleureux[6] lorsque la personne suicidaire en est à son énième menace, et comment ne pas arriver là où Mélanie et les siens sont arrivés ?

MÉLANIE ET LES SIENS : VERS LE CUL-DE-SAC PSYCHIATRIQUE

Mélanie est entrée au service de psychiatrie pour adultes après avoir été traitée dans les services de première ligne en santé mentale pendant quatre ans. À la première entrevue, l'équipe cherche à comprendre pourquoi les traitements n'ont pas été efficaces, alors que les thérapeutes ont tant investi et que Mélanie et les siens y ont contribué du mieux qu'ils le pouvaient. Il ne s'agit donc pas ici d'un manque d'accès aux ressources thérapeutiques ni d'un manque d'implication de la famille.

Pourtant, Mélanie semble dans un état pire qu'à 14 ans. Elle présentait alors des troubles alimentaires. Aujourd'hui, elle se sent désespérée : elle a pris du poids et n'a plus un diagnostic clair d'anorexie. Elle affirme qu'elle ne peut vivre à l'extérieur de l'hôpital longtemps, car elle se voit comme une personne malade même si son anorexie n'est plus vraiment un problème.

L'équipe apprend que son père l'aurait déjà frappée et, depuis, tous s'entendent pour dire que ces abus passés maintiennent Mélanie dans sa maladie, même si le père a reconnu ses erreurs, commises dans des moments d'exaspération, et que la mère tente de se justifier pour n'avoir pas su protéger sa fille. La jeune fille tolère mal les rencontres familiales, disant craindre que ce soient ses parents qui obtiennent toute l'attention des thérapeutes alors que c'est elle, Mélanie, qui est malade et souffrante à cause de ses parents négligents. Elle se retourne sans cesse vers son père pour lui jeter des regards accusateurs, tout en ignorant les pleurs de sa mère. Cette dernière a tenté de quitter son mari, mais, d'un commun accord, le couple a décidé de rester ensemble, au grand dam de Mélanie.

Durant cette première entrevue, la mère s'autoflagelle et le père la regarde avec indulgence. Il semble que la mère ne puisse prendre sa place qu'en se présentant comme une coupable, comme la responsable du dysfonctionnement familial et des problèmes de sa fille.

Ce n'est que quelques mois plus tard, à l'occasion d'une crise suscitée cette fois par sa deuxième fille, Caroline, que la mère réalise qu'elle participe au modèle abusif dans son rôle de protecteur coupable. Caroline la ridiculise devant son mari et ce dernier, en riant, accepte tacitement ce manque de respect. C'est alors qu'elle peut dire à son mari et à la sœur de Mélanie, après y avoir réfléchi, qu'elle sait maintenant pourquoi elle est partie, et affirmer qu'elle partira à nouveau si on ne peut vivre dans le respect. Elle est revenue parce qu'elle les aime et elle partira parce qu'elle les aime. Elle ne les qualifiera pas d'abuseurs[7], mais elle ne participera plus au modèle explosif de victimisation de la famille. Cette réflexion sur le modèle relationnel remobilise le couple dans une autre direction.

Les parents ont compris, mais ne parviennent pas à faire comprendre à Mélanie ce qui s'est passé depuis quatre ans. La mère est encore seule à pouvoir le formuler clairement. En effet, le père a une perception intuitive de la perversité du jeu qui s'est installé au fil des traitements, mais il ne parvient pas encore à le dire clairement à ses enfants et, à la fois, à agir respectueusement envers sa femme. Caroline a quitté le milieu familial, elle aussi dans une certaine incompréhension des nouvelles règles, et Mélanie continue de se réfugier dans la maladie en ressentant toujours autant d'indignation quant au passé.

Mélanie, pour sa part, semble redoubler d'efforts pour maintenir ses parents dans la culpabilité par l'entremise de menaces suicidaires et doit être hospitalisée par la suite à plusieurs reprises pour sa protection. Elle n'accepte pas ces réflexions sur le processus de victimisation de la famille et accuse les siens d'être insensibles à ses blessures dans leur décision de rester ensemble.

Elle a décidé de se trouver de nouveaux thérapeutes qui travaillent plus fort qu'elle-même à sa guérison. Il lui est donc impossible de comprendre les nouveaux comportements de ses parents, qu'elle juge comme indifférents à sa souffrance. Elle s'indigne aussi que ses thérapeutes ne puissent pas mieux soulager sa souffrance, même si elle les a à elle toute seule maintenant. Elle les blâme pour leur manque d'implication, même s'ils tentent de lui donner la meilleure des médications tout en la voyant fréquemment en raison de ses nombreuses crises.

Le manque de compréhension de Mélanie, entretenu bien involontairement par ses nouveaux thérapeutes, devient dangereux pour sa sécurité. Ses parents ont été encouragés à ne pas la blâmer, mais à trouver des moyens de lui faire comprendre ce qu'eux ont compris, et lorsque les deux parents et Caroline en seront arrivés à une compréhension commune du mode de communication, il est fort probable que Mélanie saisisse alors ce nouveau code d'échange dans la réciprocité, l'autoprotection et la coopération.

Mais pour le moment, au fil des traitements, Mélanie n'a appris qu'à faire agir de plus en plus les autres, et elle a perdu accès à son propre pouvoir d'agir.

D'une part, comment la thérapie peut-elle entraîner la chronicisation à la fois d'un problème et d'un état pathologique, alors que les acteurs travaillent avec les meilleures intentions et suivent les meilleures pratiques ? D'autre part, comment la thérapie peut-elle être utilisée autrement pour permettre à la personne suicidaire un retour à la vie normale, ou même à une nouvelle vie, sans mettre fin nécessairement aux besoins d'une thérapie ?

Nous ferons le point sur les faits connus à ce jour sur le suicide, sa prévention, sa détection, la protection de la personne suicidaire et son traitement, pour nous laisser inspirer par son imprévisibilité en dépit de toutes nos stratégies d'intervention.

En effet, il s'avère que le suicide est au centre de nos paradoxes en psychiatrie, à partir du principe biblique du devoir d'être le « gardien de son frère », du mandat paradoxal du soignant : le devoir de traiter le malade, et le devoir de respecter son autonomie. Comment, dans le processus thérapeutique, protéger une personne contre elle-même sans la contrôler, ni la diminuer dans son statut de personne autonome, ni entraver son développement personnel ?

Le suicide est le point névralgique de la psychiatrie, car on dit qu'il est le symptôme de la maladie mentale et, en même temps, qu'il est le geste d'une personne habituellement considérée comme responsable sauf lorsqu'elle fait ce geste. Comment partir de cette imprévisibilité de l'être humain, inhérente à son statut de personne autonome, pour aborder la personne suicidaire ou le suicide dans nos vies de façon à ne plus ignorer ces sables mouvants dans lesquels nous nous enlisons tous, malgré le suivi de nos bonnes pratiques ? Tous, soignants comme familles, en viennent à miser sur le traitement au détriment des conditions qui maintiendraient l'autonomie[8] du malade, tant dans son milieu de vie que dans son nouveau milieu thérapeutique.

On ne saurait parler de l'approche de la personne suicidaire sans faire un détour par les chemins parcourus par la psychiatrie au cours des deux derniers siècles, et par les modèles relationnels observés dans les familles lors de l'apparition de la maladie mentale chez l'un des leurs.

Progressivement, j'ai réalisé qu'en reconnaissant au premier contact cet attribut essentiel de mon malade, son autonomie, je parviendrais à pratiquer la psychiatrie tout autrement. Je ne pouvais plus traiter d'abord sa maladie et voir par la suite à lui redonner son statut d'être autonome. Si sa maladie avait envahi toute sa personne et que je devais **l'enfermer**, je savais que je devais surveiller avec les siens son retour, et ce, dès les premiers « pas » qu'il ferait en tant que personne consciente de soi et des autres. Voir le patient seul durant cette période était le principal écueil à éviter parce qu'ainsi je devenais la partie essentielle voire **permanente** de son rétablissement. Comment pouvait-il reprendre sa place auprès des siens ? Comment tous ensemble pouvaient-ils créer un nouvel équilibre de vie ? Comment ce malade échapperait-il à son statut de « psychiatrisé », à ses yeux et à ceux de son entourage, avec tous les avatars de la perte de son autonomie et des difficultés de plus en plus grandes pour la retrouver ?

Pour comprendre une approche psychiatrique fondée sur le respect de l'autonomie de la personne, je vous propose de reprendre l'histoire de la psychiatrie là où on l'accusa de ne pas respecter l'autonomie des gens qui étaient sous sa responsabilité. Je vous raconterai tout d'abord comment j'en suis venue à aborder mes patients comme des personnes autonomes à partir de ma propre histoire personnelle, pour comprendre par la suite, à la lumière des théories de la communication, l'erreur fondamentale de la psychiatrie et le problème de la stigmatisation. Malgré cette sensibilisation aux rapports humains, ce n'est qu'à partir de mes propres piétinements et échecs dans mes efforts thérapeutiques auprès des suicidaires que j'ai compris toute l'importance d'aborder ces derniers dans leur imprévisibilité d'êtres autonomes, alors que je tentais désespérément de traiter en premier lieu leur maladie.

CHAPITRE 2

Mes premiers pas en psychiatrie

Mon arrivée en psychiatrie et la recherche d'un modèle

La décision de me spécialiser en psychiatrie est venue d'un désir de sortir de la médecine (la psychiatrie était alors plus près du monde psychologique que du monde médical et chirurgical) et d'un intérêt réel pour la complexité de l'humain dans toutes ses dimensions. Les drames humains causés par la maladie dans un hôpital, tant ceux des patients et de leurs familles que ceux des intervenants entre eux et de leurs patients, m'interpellaient. Fascinée par le cinéma, j'avais l'impression que si je m'impliquais dans le scénario de ces drames tout en le modifiant en collaboration avec les acteurs, je pourrais influer sur l'évolution et l'issue de ces drames. Cependant, comme médecin, je ne parvenais pas à trouver le raisonnement professionnel qui me soutiendrait pour risquer tel geste ou telle parole au moment de l'échange, ni à prévoir l'orientation du nouveau scénario.

Je suis la septième d'une famille de onze enfants. Cette position à la fois centrale et périphérique m'a forcée jadis à composer avec les exigences des plus vieux et les besoins des plus jeunes. J'entendais souvent ma mère dire: « Nous avons toujours trop de parents. » Pourtant, à la fin de sa vie, elle soupirait avec un sourire de satisfaction : « Vous vous êtes élevés seuls. »

Lorsqu'on m'a demandé, avec d'autres femmes, d'écrire les moments importants qui ont eu une influence capitale dans l'orientation de leur vie, j'ai composé *Une nuit de Noël dans la vie de Suzanne Lamarre*[9]. J'y racontais un échange survenu avec mon père alors que j'avais 17 ans. Ma sœur, Louise, la sixième, et moi avions parlé avec la plus grande conviction, en cette nuit de Noël, des services inestimables que nous rendions à la famille… Bref, pour le résumer simplement, nous décrivions avec force détails nos prestations de sauveurs de la famille.

Discrètement, mon père m'a demandé, avec une certaine appréhension dans les yeux, si je croyais vraiment tout ce que je disais. Ce fut un choc, puis une onde de choc qui m'ont ébranlée jusque dans mes plus profonds retranchements. J'ai continué par la suite à participer à la « survie » de la famille, mais dans un tout autre esprit. J'avais compris que la responsabilité de la famille ne retombait pas sur mes épaules, mais plutôt que je devais mettre l'épaule à la roue familiale. J'ai donc choisi le mode de la coopération, de travailler avec les autres et les leaders de la famille – les parents, qui doivent indiquer clairement quand il appartient à d'autres qu'eux-mêmes de diriger l'entreprise familiale.

À mon arrivée dans les hôpitaux pour ma formation, ce fut à nouveau toute une surprise de voir de si nombreux sauveurs à l'œuvre sans pouvoir remettre en cause la pertinence de leur approche, au risque de me faire condamner moi-même. Ce rôle de sauveur semblait faire partie de leur identité d'aidants et du choix de leur profession. Je croyais à la passion d'aider, mais comment le faire sans créer des effets délétères, tant sur ceux que j'aidais que sur ceux qui croyaient déjà les aider ? Je ne pouvais encore m'en tenir qu'à des observations, sans interventions ciblées.

Durant mon premier stage en psychiatrie, je ne parvins pas, en effet, à distinguer les aspects subjectifs des données objectives de la médecine dans l'évaluation de la souffrance, ni ce qui appartenait à l'environnement de ce qui relevait de la nature du sujet dans les comportements erratiques de mes patients. L'impression qu'ils étaient vraiment malades ou très malheureux et le retour parfois miraculeux à la santé ou au bonheur, selon les circonstances défavorables ou amènes dans lesquelles les gens se trouvaient, me troublaient dans ma classification des symptômes selon leur origine physique, psychologique ou environnementale. De plus, je dus constater que, malgré tous mes efforts, je ne parviendrais jamais à être neutre ou détachée lorsque je serais plongée dans un problème. En m'engageant en psychiatrie, je m'obligeais vraiment à faire le point sur moi-même, sur les autres, sur le groupe et sur les intérêts de chacun, car je pouvais déjà constater que ce que je ressentais ou disais faisait partie du traitement et non seulement de l'approche humaniste du médecin.

Cette **immédiateté de l'implication**[10] a été au centre de ma démarche. Comment distinguer, dès les premiers moments de la rencontre avec mes patients, la direction du chemin commun que nous prendrions dans le processus thérapeutique sans perdre de vue la marge de manœuvre pour tous, c'est-à-dire la nécessité de nous assurer d'avoir de plus en plus de choix et de nous éloigner de plus en plus des impasses ? Près de 40 ans plus tard, je sais que les attentes du malade et des siens à l'égard de l'aidant professionnel ne doivent plus être ignorées si l'on veut éviter l'une des impasses principales de l'intervention du professionnel : l'attente du rôle de sauveur au détriment du rôle de médiateur ou de facilitateur[11]. Les concepts de chronicisation, de psychiatrisation et de stigmatisation liés à ce rôle de sauveur ont été pour moi les principaux écueils à éviter tout au long de ma pratique en psychiatrie. Cette décision d'éviter d'agir en sauveur ne peut être laissée aux seuls soignants, qui y sont sensibilisés en grande majorité. Le « sauvé potentiel » doit faire partie de la réflexion pour faire une vraie différence. C'est pourquoi je vous décris ma trajectoire de clinicienne. Je sais que je dois faire connaître ce cheminement à mes patients passés et à venir et à leurs proches afin qu'ils puissent se réapproprier plus facilement leur propre pouvoir d'agir.

La découverte des théories de la communication dans les relations

À la fin de ma formation de psychiatre, je savais que je n'avais pas trouvé ce que je cherchais. J'avais opté pour la pédopsychiatrie, afin de me retrouver en territoire neuf avec des patients qui n'avaient pas encore connu d'autres modèles d'intervention. Et pourtant, même en pédopsychiatrie, il y avait un clivage : le médecin s'occupait de l'enfant et laissait la travailleuse sociale intervenir auprès des parents – ce que je remettais en question. Le traitement consistait essentiellement en une thérapie par le jeu et, à cause de cette division des acteurs – les parents d'un côté, l'enfant de l'autre –, on risquait de nuire beaucoup plus que d'aider si les parents venaient à se sentir incompétents ou jugés comme tels. On parlait à l'époque d'un psychiatre de Philadelphie, Salvador Minuchin[12], qui travaillait avec les familles, mais on le voyait à la fois comme un spécialiste très pointu et comme un original. De toute façon, nous ne pensions avant tout qu'à traiter les pathologies. Le travail sur les relations familiales n'était proposé que si le traitement n'avait pas donné les résultats escomptés, et c'est encore la règle aujourd'hui, tant pour les enfants que pour les adultes.

J'ai erré pendant quelques années dans un hôpital pour enfants à la recherche d'un modèle qui m'aiderait à hiérarchiser mes interventions pour mobiliser les forces du milieu, plutôt que de m'en tenir aux diagnostics et au traitement des pathologies. Surtout, il me fallait apprendre à aider les gens en détresse à croire en eux-mêmes pour continuer une vie plus riche, malgré leurs handicaps, plutôt que de chercher à les sauver.

Lors d'un stage en épidémiologie à Paris, j'ai enfin trouvé ce que je cherchais. C'est en flânant paradoxalement dans les magnifiques librairies de cette ville que j'ai découvert ma «clé du Nouveau Monde»: *Une logique de la communication*, par Paul Watzlawick, J. Helmick Beavin et Don D. Jackson[13], un livre écrit en 1967 alors que je faisais ma première année d'études en pédopsychiatrie. Je pouvais enfin accéder à la fois à une grille d'observation des comportements et des liens qui les unissaient, et aux moyens pour les modifier en m'incluant dans le contexte: les comportements ne peuvent se comprendre que dans leur contexte de vie. Le choc du contact culturel, comme en parlait Gregory Bateson, un scientifique clé dans la pensée de Watzlawick, devait faire l'objet d'une réflexion dès la première rencontre avec le malade et les siens. Pour apprendre à mettre ces théories en pratique, mon intuition m'avait bien servie: il fallait m'éloigner des patients institutionnalisés et de leurs intervenants, car ils avaient créé entre eux un équilibre qu'il m'était impossible de transformer, puisque je ne pouvais, à cette étape, leur proposer une autre façon de faire. C'était le début de ma carrière de psychiatre postmoderne[14], comme je l'ai compris par la suite.

Les dimensions d'une psychiatrie postmoderne

J'ai alors changé ma pratique et ouvert un bureau privé, pour y accueillir des patients «naïfs». Inspirée des théories de la communication, j'essayais d'aider les patients à se donner des contextes favorables. Je rencontrais les familles pour les encourager à changer leur culture, soit de **passer de la culture selon laquelle elles se conformaient ou s'opposaient aux attentes des autres, à la culture selon laquelle elles feraient de la place aux réalités de**

chacun, mais ça ne se déroulait pas toujours comme je le souhaitais. Leur proposer une nouvelle façon d'être ensemble durant mon implication temporaire avec eux était une chose, mais il me semblait que l'on continuait trop souvent par la suite à miser sur le traitement et sur moi, plutôt que sur la contribution du sujet malade à son rééquilibre avec la maladie et avec les siens.

LE CAS DU LITHIUM

Un patient, un industriel, avait dû être hospitalisé en psychiatrie et était venu me voir avec sa femme parce qu'il ne voulait plus être hospitalisé ni prendre de médicaments. Je travaillais à installer la coopération et les nouvelles valeurs dans le couple et j'avais eu l'impression qu'ils vivaient mieux ensemble, avec beaucoup plus d'ouverture sur diverses éventualités, dont celle pour lui de devoir prendre une médication pour se maintenir en bonne santé. De fait, il avait décidé de prendre du lithium pour éviter une autre hospitalisation. Toutes ces démarches, incluant la quasi-rechute, s'étaient déroulées sur plusieurs mois. Quelques années plus tard, un patient vint me consulter à la suggestion de cet homme pour me demander de lui prescrire du lithium, qui avait « sauvé la carrière et la vie de son ami ». Alors que je croyais avoir aidé cet industriel à voir à sa maladie avec les siens en lui faisant découvrir les nouvelles valeurs de la coopération, il attribuait entièrement le succès de ces mois d'intervention au lithium.

Il avait raison et j'avais raison. Le lithium l'avait sauvé, mais lorsqu'il s'était présenté à mon bureau pour la première fois, il disait que c'étaient les médicaments qui l'avaient rendu malade. Il venait me voir pour reprendre sa vie professionnelle et cesser d'aller à l'hôpital et de prendre des médicaments. Sa femme était partiellement d'accord avec sa perception de l'épisode de traitement et des effets nocifs des médicaments actuels, cependant elle craignait une rechute éventuelle et la répétition des horreurs qu'elle avait vécues au cours de l'épisode de manie qui l'avait obligée à avoir recours à la police pour transporter son mari à l'hôpital.

Nous avions établi clairement qu'il ne serait pas possible de le garder à la maison s'il redevenait aussi malade qu'il l'avait été. Par ailleurs, il fallait que sa femme puisse parler de ses craintes sans qu'il le prenne contre lui. Enfin, il pourrait évaluer le pour et le contre d'une médication si elle devenait nécessaire. Nous avions aussi soulevé la possibilité qu'il se permette d'aller de son propre chef à l'hôpital si sa femme en venait à avoir trop peur de lui.

L'objectif principal de cet épisode d'intervention devenait la reprise de ses activités professionnelles dans un contexte favorable, avec ou sans médicament, mais avec toute la marge de manœuvre nécessaire pour y arriver. Le succès, pour moi, avait été qu'il ne voyait plus la médication comme une malédiction ni comme une imposition du médecin, mais comme un choix, comme un ajout à l'équilibre de la vie qu'il mènerait en réciprocité avec sa femme. On pouvait parler de limites personnelles sans s'identifier à ces limites. La demande de lithium de son ami me confirmait en effet que mon patient avait pu continuer sa vie en prenant soin de sa maladie et qu'il pouvait même aider d'autres personnes à le faire quand survenait une maladie mentale. Il avait résumé le tout à la prise du médicament, et le fait de prendre du lithium ne représentait désormais plus un échec ni l'aveu d'une grande tare, mais consistait en un moyen simple de se donner une vie meilleure.

L'apprentissage du couple, qui lui avait permis de contrôler la maladie mentale, était passé par une étape périlleuse et complexe. Le guide que cet homme et cette femme avaient choisi en moi leur avait permis de reprendre leur route, par eux-mêmes et mieux outillés, et d'éviter le naufrage dans les eaux de la psychiatrie.

Je ne pouvais que me comparer au pilote de navigateur transatlantique qui veut franchir la première partie de la voie maritime du Saint-Laurent sans risquer le naufrage. Il faut plus que la lecture de la carte des écueils pour éviter la catastrophe, et un pilote connaissant la navigation et les caprices de la voie devient nécessaire pour diriger l'embarcation en toute sécurité durant cette étape, pourvu qu'il en reçoive le mandat de la part du capitaine et qu'il n'ait pas à lutter contre ce dernier pour lui arracher le gouvernail. Je n'ai donc su que plusieurs années plus tard que mon objectif avec ce patient avait été atteint. Il avait repris sa vie avec les siens et… avec une médication.

La leçon qu'on peut tirer de cet exemple est que la maladie mentale n'a pas à faire de la personne qui en est atteinte un malade mental. Ce patient, sa femme et leur ami l'avaient bien compris.

Chapitre 3

Mon apprentissage avec mes premières patientes suicidaires

Nicole et Pierrette

J'aimais cette pratique où j'apprenais à intégrer les théories de la communication pour me donner de plus en plus de marge de manœuvre dans mes essais et erreurs. Cependant, à la suite du suicide de Nicole, une patiente que je traitais pour des dépressions récurrentes, je me suis retrouvée devant une question primordiale : Étais-je en partie responsable de ce suicide ?

LE SUICIDE DE NICOLE

Si je me fiais aux théories de la communication, mes efforts pour bien traiter cette personne suicidaire avaient peut-être, paradoxalement, facilité à ses yeux le choix de la solution suicidaire pour mettre fin à sa dépression. Les proches de la patiente divorcée (les conditions du divorce avaient été très pénibles), que j'avais déjà rencontrés à quelques reprises, m'ont demandé de rencontrer son fils de 12 ans pour l'aider dans son deuil. Je n'ai pas pu le faire.

J'avais déjà discuté avec la patiente des effets qu'aurait son suicide sur son fils, et elle m'avait alors fait savoir qu'elle souhaitait qu'il ait accès à mes services le cas échéant. Je me retrouvais dans un double lien[15]. Je ne pouvais pas dire à ce garçon que c'était la dépression qui avait tué sa mère, ce n'était pas vrai. Lui-même, s'il connaissait un jour un premier état dépressif, passerait ainsi à l'acte (suicidaire) encore plus rapidement que sa mère, d'autant plus que son père semblait également dépressif. Par ailleurs, en ne faisant rien, c'est comme si je laissais tomber et ma patiente et les siens et, bien sûr, ce jeune garçon. J'ai recommandé que ce dernier consulte quelqu'un d'autre. De mon côté, j'ai consulté quelques collègues qui m'ont recommandé de ne plus suivre les patients suicidaires dans un bureau privé.

J'ai donc décidé de prendre un poste à l'hôpital avoisinant. J'aimais travailler en équipe et, de plus, j'y ai découvert le service d'urgences psychiatriques qui devint mon lieu préféré d'intervention. J'avais aussi à partager le suivi de patients hospitalisés, dont quelques suicidaires.

LA TENTATIVE AVORTÉE DE PIERRETTE

Un midi, alors que je mangeais mon lunch dans mon bureau, l'infirmière du service m'a téléphoné pour m'informer que Pierrette, une de mes patientes, s'était pendue. J'ai ressenti un soulagement.

« On a réussi à la décrocher et elle n'a pas de séquelles, d'après le médecin généraliste qui est venu la voir. » J'étais troublée par ma réaction. Cette patiente était hospitalisée parce qu'elle était suicidaire et voilà que son suicide me soulageait. C'est comme s'il lui appartenait de mettre fin à mes efforts thérapeutiques, dans lesquels j'avais apparemment bien peu d'espoir puisque l'annonce de son suicide m'avais soulagée. Je me suis immédiatement rendue à l'unité et j'ai demandé à l'infirmière de changer cette patiente de psychiatre sans même la voir une dernière fois. Il m'apparaissait évident que tout autre psychiatre que moi lui serait plus profitable. Par la suite, l'infirmière m'a demandé qui devait informer la patiente de ce changement. Il me revenait bien évidemment, puisque j'étais la psychiatre qui avait pris la décision, de lui en faire l'annonce.

Je me suis donc rendue auprès de Pierrette pour l'informer de ce que j'avais ressenti et de son droit d'avoir un autre psychiatre qui serait moins désespéré que moi pour l'aider. À ma grande surprise, elle m'a dit d'un ton affirmatif que c'était moi qu'elle voulait comme psychiatre et qu'elle verrait à ne plus répéter un tel geste. Elle voulait me consulter pour que je lui apprenne à vivre, et non plus pour que je la protège. Elle n'a pas cessé de louanger mes services par la suite, et j'ai appris par d'autres sources qu'elle disait de moi que j'avais changé sa vie. Elle n'a plus fait de tentative de suicide.

Je n'avais surtout pas été un sauveur, mais, d'après les échos que j'en avais, une facilitatrice en ce qui concerne la reprise en mains de sa vie. C'est la relation de collaboration qui a fait la différence. Comment en arriver là dorénavant dès le premier contact[16] ?

Vers le respect de l'autonomie du suicidaire dès le premier contact avec lui et avec les siens

Ma réaction de soulagement devant la tentative de suicide de Pierrette m'aidait à répondre à la question que j'avais eue face au suicide de Nicole. Nicole n'avait vu aucune autre solution que de se tuer, étant donné ma façon de l'aider. L'objectif premier de mes traitements était devenu à mon insu de la protéger contre elle-même. En effet, elle entretenait des pensées déprimantes et ne parvenait pas à les changer. La médication lui apportait des effets plus secondaires qu'antidépressifs. Son travail ne l'intéressait plus. Elle en voulait à son ex-mari qui ne l'aidait pas dans son rôle de mère. Elle n'avait que des récriminations et ne parvenait pas à faire ses deuils. Ses proches, qui en voulaient aussi à l'ex-conjoint, se fiaient au fait qu'elle consultait une psychiatre dévouée et professionnelle. Le suicide devenait un symptôme de la maladie dépressive, et le traitement devenait l'affaire du psychiatre. On devait la protéger contre son geste tout en la laissant libre dans les autres aspects de sa vie. Dans cette approche, elle n'avait plus rien à faire, sauf réussir son suicide en déjouant l'attention de sa psychiatre.

Par ailleurs, j'étais toujours agacée lorsqu'elle me disait que je serais là pour consoler son fils. À quel âge un enfant doit-il entendre des propos suicidaires de la part de sa mère ? À quel âge peut-il donner son point de vue ? À quel âge un enfant est-il prêt pour le suicide de sa mère ? Le fils de Nicole n'avait pas pu réagir aux propos de sa mère. Je l'ai laissée dire sans organiser une rencontre avec le fils. « Qui ne dit mot consent. » Dans les jours suivant le suicide de Nicole, la famille ne me demandait pas de m'excuser pour cette rencontre manquée, mais plutôt de dire à son fils que la maladie avait emporté Nicole malgré les meilleurs traitements offerts et reçus. Je savais que mes excuses, auxquelles l'enfant avait droit, auraient créé chez lui plus de confusion que de réconfort à ce moment-là, et surtout pour l'avenir.

Penser, sentir une réalité n'entraîne pas nécessairement une nouvelle pratique. « *Walk the talk* » est un processus évoluant dans le temps et non chose dite, chose faite. Je sentais que le fils de Nicole aurait dû participer aux échanges avec sa mère de son vivant. Comment changer cette pratique qui m'avait amenée à prioriser le traitement plutôt que la participation active des personnes concernées ? L'épisode « Pierrette » m'avait convaincue que je ne pouvais plus continuer de la même façon en milieu hospitalier. Mais comment continuer autrement pour me sentir honnête envers le patient et son entourage tout en évitant de perturber indûment les pratiques actuelles ?

Déjà, à la lecture de Watzlawick et de Bateson, je commençais à percevoir un ensemble de comportements, de valeurs et d'attentes dans les diverses situations de crise, un ensemble intimement lié tant au besoin qu'au devoir de devenir le « gardien de son frère » en difficulté. On me demandait des traitements pour faire cesser la crise, alors que les personnes impliquées évoluaient dans la plus grande confusion quant aux rôles, aux responsabilités et aux attentes de chacun. Intervenir avec mes traitements sans faire le point sur les responsabilités de chacun ne faisait qu'augmenter l'embrouillement, sans pour autant améliorer l'état de santé du sujet traité. Quelques améliorations immédiates avec le traitement, qui ne duraient pas, n'avaient pour effet que de nous acheminer vers un cul-de-sac.

Ce qu'il ne faut plus faire, c'est s'emprisonner en s'efforçant de prouver sa valeur ou sa nullité par ses succès ou ses échecs. Ce qu'il faut essayer, c'est de se donner de multiples chances d'agir avec les autres en assumant les conséquences de ses essais et erreurs. Nous pourrons enfin, sous cet éclairage, quitter les chemins de la mort et entrer dans les chemins de la vie.

Voyons maintenant quelques faits bien connus sur le phénomène du suicide, et faisons le point sur l'approche actuelle du suicidaire selon les bonnes pratiques, pour reprendre par la suite sur la place de l'autonomie du malade dans la psychiatrie scientifique et dans les divers milieux de vie.

CHAPITRE 4

Le suicide en faits

Voyons quelques données intéressantes sur l'incidence du suicide, sur les moyens efficaces pour la diminuer et sur les facteurs de risque. Nous verrons aussi comment l'imprévisibilité du suicide, qui est liée à l'autonomie de l'être humain, est contournée plutôt qu'intégrée à la pratique.

Incidence du suicide

Actuellement, l'incidence du suicide au Canada est d'environ 10 cas par jour (3600 cas par année). Au Québec, le nombre est de 3 cas par jour (environ 1095 cas par année) (statistiques de 2010)[17]. L'incidence était auparavant nettement plus élevée. On ose croire que cette diminution est attribuable aux campagnes de sensibilisation aux facteurs de risque (armes à feu, passerelles sur les ponts) et à un accès plus facile aux services psychosociaux, mais il n'est pas possible d'en déterminer les raisons exactes.

L'incidence des suicides se calcule à raison de 3 à 20 suicides par 100 000 de population dans les pays de l'OCDE (le plus haut taux de suicide étant observé au Japon), alors qu'au Québec elle est de 13,5 (2010) et en France de 16,2 (2010), les hommes se suicidant 3 fois plus que les femmes, et les femmes tentant de se suicider 3 fois plus que les hommes. Cette différence, comme nous le verrons plus loin, s'explique par la nature du moyen utilisé pour se tuer. La prévalence annuelle des tentatives est approximativement de 0,5 %, celle des idées suicidaires sérieuses est d'environ 2 % sur 12 mois et 12 % sur une vie. La prévalence de la dépression dans une population est d'environ 5 sur 100 personnes sur un an, et de 20 % à 40 % sur une vie. Quatre-vingt-dix pour cent des idées suicidaires et des tentatives de suicide surviennent chez des personnes souffrant de dépression seule ou de dépression accompagnée d'autres maladies mentales. Cela explique l'importance accordée aux traitements de la maladie plutôt qu'à la mise en place d'un contexte de coopération entre tous les acteurs lors des premiers contacts, comme on le fait habituellement en psychiatrie. Bref, on veut prévenir le suicide en détectant la personne à risque et en l'orientant vers les services de santé mentale.

La prévention du suicide

La prévention du suicide se fait à divers niveaux:

- ***sensibilisation*** *au phénomène existant;*
- ***dissémination de l'information*** *permettant de détecter la personne suicidaire;*
- ***évaluation des facteurs de risque*** *et de protection pour déterminer le niveau de dangerosité face au passage à l'acte;*
- ***accessibilité*** *aux services médicaux et psychosociaux;*
- *sensibilisation à* ***l'accès aux moyens létaux.***

Programmes de sentinelles

Dans les écoles comme dans les milieux de travail, on forme des étudiants, des professeurs et des employés afin de leur enseigner comment dialoguer avec des personnes potentiellement suicidaires: ce sont les sentinelles. On fait également connaître l'existence de ces sentinelles, à qui toute personne préoccupée par le suicide peut s'adresser. En raison de leurs succès, ces programmes se développent de plus en plus.

Facteurs de risque et de protection

Plusieurs facteurs de risque[18] sont connus. Inutile d'insister sur le fait que le facteur principal est la tentative antérieure de suicide. La personne qui a déjà fait un geste dans l'intention de se tuer est mille fois plus susceptible que les autres de passer à l'acte à nouveau lors d'un moment difficile. Cependant, comme le rapportent les spécialistes de la perspective optimiste, seulement 10 personnes sur les 100 qui ont fait une tentative mourront par suicide. Il ne faut toutefois pas oublier que l'incidence du suicide se calcule sur 100 000 habitants, et non sur 100.

Facteurs de vulnérabilité

Les toxicomanies, telle la consommation d'alcool et de drogues de rue, un milieu social appauvri, l'isolement surtout récent, les tendances impulsives et agressives, l'annonce d'une perte (d'emploi, d'argent, d'un conjoint, de la santé) sont autant de facteurs de risque en eux-mêmes et qui, ensemble, deviennent un cocktail explosif obligeant l'entourage à intervenir. La personne qui a appris à rester dans son impuissance en cultivant une pauvre estime de soi ou en raison d'un passé d'abus ou de relations problématiques ressent plus longtemps et plus rapidement le désespoir dans des situations difficiles.

Même dans les cas de harcèlement[19], les facteurs de vulnérabilité existent déjà et ils peuvent entraîner la personne harcelée à se suicider. Dans la majorité des cas, le geste relève de l'impulsion du moment. Une personne épuisée depuis quelque temps, qui se fait rejeter ou encore qui n'est pas entendue dans sa demande d'aide ultime, est certainement une personne à grand risque suicidaire. Chercher à prévenir un tel geste n'est donc pas peine perdue.

Accès aux services de santé

L'accès aux services pour les problèmes de santé mentale peut faire une différence. Les études effectuées chez les militaires américains l'ont démontré. Dans les périodes où l'on diminuait l'accessibilité aux services, le taux de suicide augmentait[20]. Cependant, il est très difficile de démontrer l'efficacité des interventions elles-mêmes étant donné le nombre relativement petit de suicides. Par ailleurs, si les interventions psychosociales spécifiques sont difficiles à évaluer dans leur efficacité, il a été observé que les mesures visant à freiner l'accessibilité aux moyens de se suicider ont entraîné un effet bénéfique certain sur l'incidence du suicide dans la population.

Le moyen efficace de prévention

L'accès aux moyens létaux mérite une case à part, tant au point de vue des facteurs de risque que des facteurs de protection. **Rendre inaccessibles les moyens létaux**[21] est la seule approche qui ait fait ses preuves jusqu'à maintenant dans la population en général. En effet, au Royaume-Uni, l'incidence du suicide a chuté du tiers dès l'année où le monoxyde de carbone a été éliminé du gaz domestique. Aux États-Unis, le nombre de suicides est moins élevé dans les États où les armes à feu sont moins présentes dans les maisons. À l'inverse, le taux de suicide chez les femmes dans les pays où les pesticides sont toxiques est plus élevé que chez les hommes – alors que, comme on l'a vu plus haut, dans les autres pays, les femmes font 3 fois plus de tentatives bien que les hommes meurent 3 fois plus par suicide. Cette augmentation du taux de suicide chez les femmes du Sri Lanka et de la Chine, en particulier, s'explique par le fait que les femmes font des tentatives de suicide en utilisant plus souvent les pesticides que les médicaments. Elles décèdent donc plus en raison du moyen utilisé – les pesticides, qui sont hautement toxiques –, alors que les hommes décèdent dans les pays occidentaux plus en raison des armes à feu et de la pendaison.

La période stratégique des huit heures

On pourrait penser que ce n'est qu'une question de temps, que même si on élimine un moyen, le suicidaire en trouvera un autre. Eh bien, non. Pour de nombreuses tentatives de suicide, le passage à l'acte est une question de quelques minutes à quelques heures. Dans une étude réalisée au Royaume-Uni auprès de personnes ayant fait des tentatives qui auraient pu être létales, 24 % ont dit avoir agi sur l'impulsion du moment; pour une autre tranche de 24 %, ce fut une question de 5 à 19 minutes; pour 23 %, ce fut 20 minutes à 1 heure; pour 16 %, de 2 à 8 heures; enfin, pour 13 %, 1 journée et plus. Bref, pour 87 % des tentatives, le passage de l'idée à l'acte a eu lieu dans un délai de moins de 8 heures[22].

L'imprévisibilité du suicidaire

Le suicide est évitable, mais non prévisible. On peut, à l'aide de diverses stratégies, prévenir le suicide statistiquement, en diminuer l'incidence en s'attaquant aux facteurs de risque et de vulnérabilité dans une population. On ne peut, cependant, jamais prévoir la vie de quel individu se terminera par le suicide ni à quel moment, malgré tous les traitements.

Le suicide est une préoccupation importante des services de santé publique parce qu'il touche beaucoup de gens, non seulement la personne qui s'est enlevé la vie. Un suicide a un effet dévastateur sur l'entourage. On calcule que pour un suicidé, environ 6 à 10 personnes seront endeuillées pour plusieurs années, et ce nombre n'inclut pas les personnes touchées par les tentatives de suicide ou les idées suicidaires de l'un des leurs[23]. On sait aussi que le suicide a un effet contagieux : si un suicide fait l'objet de médiatisation, il suscite d'autres suicides chez des personnes qui ne seraient pas passées à l'acte sans cet exemple. C'est ce qu'on appelle l'effet Werther (en lien avec l'imitation du suicide du personnage de Goethe), ou le phénomène des suicides par grappes[24].

Comme nous l'avons mentionné plus haut, environ 2 % de la population a des idées suicidaires sérieuses, mais ces 2 % n'incluent pas ceux et celles qui entretiennent cette option par l'entremise de leur mode de vie chaotique. Vivre avec une personne qui a des idées suicidaires ou un mode de vie erratique est malsain. Cependant, abandonner cette personne pour se protéger d'elle n'est pas une solution réconfortante pour un humain qui est sensible au bien-être des autres. Comment rester humain tout en s'éloignant du risque de se noyer en sauvant un naufragé ?

L'idée du suicide d'un des siens ou d'une personne de son entourage mine encore plus les esprits de nos jours, alors que les campagnes de sensibilisation et les études scientifiques nous laissent croire qu'il y aurait quelque chose à faire pour éviter **à coup sûr** un tel dénouement.

CHAPITRE 5

Approche actuelle du suicide

Quand Oscar s'est présenté aux urgences de l'hôpital général de son voisinage, il avait été sensibilisé par les publicités à la télévision sur le fait que **le suicide n'est pas une option**.

OSCAR

Originaire d'un pays de l'Amérique du Sud, Oscar, 52 ans, est amené aux urgences en ambulance parce que son voisin craint qu'il ne mette fin à ses jours. Il en est à son deuxième transport aux urgences en 10 jours. Dans son français mal maîtrisé, il nous montre une affiche sur laquelle on peut lire : « *Le suicide n'est pas une option* », comme s'il croyait que cette affiche signifiait qu'on offrait l'accès à une maison pour protéger les personnes suicidaires. Il nous dit, en effet, qu'il ne peut pas retourner chez lui et qu'il doit être protégé. Lorsqu'on essaie d'aborder d'autres solutions, il nous met en garde contre son suicide éventuel en se disant très déprimé depuis plusieurs mois. Les appels à son voisin et à son ex-femme nous permettent d'apprendre qu'Oscar n'a jamais pu voir à ses besoins personnels et qu'il doit être « encadré ». Il aurait fait une chute vers l'âge de 10 ans et aurait des séquelles d'un traumatisme cérébral. Il n'a jamais pu fréquenter l'école de façon normale. Les deux personnes contactées se disent incapables d'aider davantage Oscar et font valoir notre obligation de le garder à l'hôpital en raison de son histoire psychiatrique et traumatique, en nous suppliant de ne pas le renvoyer chez lui comme la dernière fois. Tout comme Oscar, ils ne veulent pas entendre parler de traitements ambulatoires et font valoir les besoins d'Oscar pour un hébergement à long terme immédiat.

Cette commande d'hébergement nous rend plus que perplexes : nous sommes devant un homme qui est parti de son pays avec sa femme et ses deux jeunes fils pour demander une prise en charge complète par le pays qui l'accueille. Impossible de comprendre comment il a pu se marier, avoir des enfants et émigrer de son pays. Son ex-femme reste très vague à ce sujet. Pour retrouver notre compassion, essentielle à tout bon traitement, nous aurions voulu réfléchir avec Oscar et ses proches sur nos limites respectives et formuler un plan d'intervention plus réaliste et, à long terme, plus favorable pour Oscar. Peine s'en fut. Oscar et son entourage ont pu profiter (ou ont été victimes) de nos services hospitalo-centriques, et Oscar a échoué dans un lit d'hôpital sans plus de discussions sur ses attentes, les nôtres et celles de son entourage.

Au cours de son hospitalisation, Oscar menace à nouveau de se tuer au moment où on lui demande de suivre les règles du service et de rester dans sa chambre pour la nuit. On lui enlève alors tous ses vêtements pour le vêtir d'une jaquette d'hôpital. Il se révolte, et ses menaces de se tuer deviennent plus fréquentes. Le personnel perd espoir quant à la *guérison* d'Oscar. Ce dernier présente des symptômes dépressifs, mais, lors des multiples menaces de suicide à la suite de frustrations, le diagnostic est remis en question. N'aurait-il pas simplement un trouble de la personnalité ? Bref, le patient serait-il simplement un manipulateur[25] ?

Il suscite une forte ambivalence chez le personnel, qui se voit en effet dans l'obligation de protéger ce patient contre lui-même, et qui, en même temps, se sent contrôlé par cet homme impulsif et exigeant. Il n'y a pas encore eu de rencontre avec lui et les siens pour clarifier les objectifs de l'hospitalisation. Maintenant, le personnel se sent surtout manipulé, tant par Oscar que par son entourage. On essaiera de lui donner son congé, sans concertation avec les deux personnes encore présentes dans la vie d'Oscar. Qui gagnera dans ces échanges sur qui a tort, qui a raison ? Il n'y a pas d'autres options pour Oscar que de faire valoir ses symptômes et surtout ses idées suicidaires, pour les siens de lui recommander d'aller aux urgences, pour les professionnels de la santé de lui dire qu'il n'a plus besoin des services hospitaliers.

Pratique actuelle : détecter, protéger, traiter le suicidaire plutôt que d'aborder son imprévisibilité

Le tandem de la prévention dans la population et de l'imprévisibilité chez l'individu peut rendre l'intervention auprès du suicidaire épuisante, désespérante pour les soignants et les proches lorsque cette intervention s'avère inefficace, et peut donner à nos meilleures pratiques de multiples effets secondaires paradoxaux.

Les efforts pour détecter le suicidaire potentiel se sont multipliés au cours des dernières années. À preuve, le nombre de réponses au mot « suicide » sur les moteurs de recherche qui ne cesse d'augmenter, mais aussi la pertinence de leur contenu. Les moyens de protection et d'intervention suivent la même courbe. Dans les services de santé, on passe beaucoup de temps à évaluer la personne suicidaire et le niveau de danger qu'elle représente pour elle-même. Lors d'un premier épisode suicidaire, tous se mobilisent.

Cependant, si le problème perdure, l'approche se transforme en une investigation sur la motivation du sujet, comme ce fut le cas pour Oscar. Est-il vraiment malade ou entretient-il sa maladie en sabotant les traitements ? Comprendre les raisons qui amènent une personne à vouloir se suicider ne conduit pas nécessairement cette dernière à chercher des solutions pour améliorer ses conditions de vie. Le retour sur son passé semble même trop souvent attiser son désespoir plutôt que de lui permettre de faire ses deuils. Lui demander d'oublier son passé pour se réorganiser dans le temps présent est souvent perçu comme un manque de compassion de la part de l'aidant naturel ou professionnel. Les quiproquos peuvent varier à l'infini dans les essais thérapeutiques auprès de la personne suicidaire.

En général, les soignants sont d'autant moins compatissants qu'ils se sentent manipulés. À force d'efforts inutiles ou de manifestations théâtrales, ils en viennent à tempérer les demandes d'aide et se limitent à documenter au dossier leurs interventions faites selon les bonnes pratiques. Ils continuent à offrir leurs services, mais l'âme n'y est plus. L'âme, ça ne se commande pas, ça se cultive dans des rapports significatifs. Devenir le pantin de l'autre robotise qui que ce soit, tant l'aidant professionnel ou naturel que l'aidé.

Ce qui est encore plus déstabilisant pour l'aidant, c'est lorsqu'il croit que ses efforts pour aider la personne suicidaire ont porté leurs fruits pour apprendre ensuite qu'elle s'est finalement suicidée. L'opération a été réussie, mais l'opéré est décédé. À qui la faute?

Il faut faire partie des professionnels de la santé qui ont pour mandat de suivre la clientèle suicidaire pour comprendre l'impact d'un suicide sur eux[26]. Lors du suicide d'un patient suivi, une enquête a lieu sur tous les plans. Bien sûr, on console les personnes impliquées et on parle de cette imprévisibilité, mais on cherche la faille dans les services, pour y remédier et perfectionner encore plus les moyens de détection et de protection. Ce sont les moyens de détection et de protection qui restent au centre des préoccupations des aidants, plutôt que l'imprévisibilité et l'autonomie de la personne. On peut comparer cette approche aux moyens grâce auxquels le pont d'un navire reste sec: on n'évite surtout pas l'entrée de l'eau, on s'assure plutôt qu'elle s'évacue bien et rapidement pour qu'il n'y ait pas d'accumulation. L'imprévisibilité fait partie de la nature humaine. L'ignorer chez le suicidaire, c'est faire de lui l'objet de nos interventions, alors que c'est lui qui aura le dernier mot dans sa survie.

Comment reconnaître alors, dès le premier contact avec les acteurs impliqués dans la crise, l'autonomie du suicidaire, sa vulnérabilité, sa relative imprévisibilité et sa participation essentielle à sa protection parmi les siens, pour ne plus installer de contextes «comme si on lui faisait confiance»?

En résumé, la logique du raisonnement en cours pour les soins aux personnes suicidaires est la suivante:

- *Les idées suicidaires sont des symptômes d'une maladie mentale ou les signes d'un mal de vivre.*
- *Le suicidaire ne peut demander lui-même de l'aide, soit par honte ou ignorance de sa maladie, soit par désespoir de ne pouvoir se sortir de sa souffrance.*
- *Détectons les personnes à risque suicidaire, veillons à leur protection, traitons leur état maladif avec ou sans leur participation: protégeons-les contre eux-mêmes d'abord!*

L'idée suicidaire survient la plupart du temps chez une personne vulnérable depuis l'enfance et qui présente des symptômes de maladie mentale, dont la dépression. Les «meilleures pratiques» se sont développées autour de la nécessité de traiter la maladie, les séquelles d'une enfance perturbée dans les relations interpersonnelles et les modes de gestion des problèmes, et surtout de protéger le suicidaire en attendant les effets des traitements.

Effets paradoxaux de certaines pratiques

Comme je l'ai mentionné plus haut, il est devenu très facile de connaître les bonnes pratiques en matière de détection du suicidaire, de la protection et des soins à lui apporter, en faisant tout simplement des recherches sur Internet. Mais nous voulons ici aborder les effets secondaires paradoxaux qui résultent de quelques-unes de ces pratiques de protection du suicidaire; tout cela, dans le contexte actuel de nos connaissances où aucune intervention psychosociale auprès du suicidaire ne s'est avérée scientifiquement efficace[27, 28]. Car même avec une approche efficace, le geste suicidaire restera toujours imprévisible.

Voici donc 10 des meilleures pratiques, avec leurs effets secondaires paradoxaux:

1) *Miser sur le traitement de la dépression pour éliminer le risque suicidaire.* Les antidépresseurs peuvent activer les risques suicidaires des jeunes et possiblement des moins jeunes au début de leur administration[29]; de plus, les antidépresseurs perdent progressivement de leur efficacité à mesure qu'augmente le nombre d'épisodes dépressifs.
2) *Rassurer l'entourage de la personne suicidaire par la mise en place de la thérapie.* Les attentes créées par la thérapie peuvent augmenter les risques suicidaires en faisant abaisser la garde de la personne à risque et celle de son entourage.
3) *Assumer la protection de la personne qui fait connaître ses idées suicidaires.* Demander à une personne qui semble en détresse si elle se sent suicidaire devient d'autant plus difficile que sa réponse oblige le demandeur à prendre des responsabilités qui peuvent le dépasser; c'est là la difficulté de s'enquérir des idées suicidaires d'une personne.
4) *Miser sur la guérison ou le bien-être du suicidaire pour éliminer le risque suicidaire.* Une ambivalence grandissante s'installe envers la personne suicidaire qui ne répond pas à l'aide donnée, tant de la part de son entourage que de celle des professionnels de la santé. L'attitude déçue ou agacée des soignants et de l'entourage

peut encourager la personne suicidaire à en finir pour ne plus être un fardeau ou pour mettre fin à son sentiment d'abandon.

5) *Le médecin est autorisé à hospitaliser contre son gré une personne suicidaire, même si son entourage n'est pas d'accord avec l'hospitalisation forcée.* Les tentatives de suicide et les suicides sont encore plus marqués dans les premiers jours et les premiers mois de la sortie de l'hôpital d'une personne suicidaire, qui avait été hospitalisée pour sa propre protection.
6) *Lors du suicide d'une personne en traitement, l'enquête, formelle et informelle, tend à déterminer quelles sont les erreurs d'évaluation et d'intervention qui auraient entraîné cette fin tragique, comme si le geste n'appartenait pas à la personne suicidaire.* Les professionnels de la santé se sentent facilement blâmés lors du suicide de leur patient ou du patient qu'ils viennent d'évaluer, malgré les notes écrites de celui-ci les déculpabilisant, et leur pratique devient de plus en plus défensive à l'égard des suicidaires pour éviter un autre échec. Les poursuites les plus fréquentes contre les psychiatres et les soignants psychosociaux concernent le suicide d'une personne traitée.
7) *L'entourage doit surveiller discrètement la personne suicidaire.* Pendant combien de temps? Qu'en est-il du jeu du chat et de la souris qui rend la souris de plus en plus habile à déjouer le chat[30]?
8) *Les cliniciens sont tenus à une obligation de moyens et non à une obligation de résultats.* Cette information serait à transmettre à la personne suicidaire et aux siens dès la première rencontre; or, elle ne fait pas encore partie des meilleures pratiques. Bien au contraire, le jugement du psychiatre a préséance sur le jugement éclairé du suicidaire et des siens quant à la décision d'une hospitalisation forcée.
9) *Les contextes de violence et d'abus interpersonnels comptent parmi les facteurs importants de risque du suicide.* Les interventions de crise pour assainir le milieu ne font pas partie des pratiques privilégiées auprès de la personne suicidaire et des siens.
10) *La majorité des suicides surviennent lors de la première tentative.* Il y a peu d'études sur la prévention primaire, à mettre en pratique avant même que la problématique suicidaire oblige les soignants à intervenir.

Voyons dans les deux prochains chapitres en quoi a pu et peut constituer **l'erreur fondamentale** de la psychiatrie qui rejoint aussi celle des familles, comment une approche systémique et de la complexité nous permettrait d'éviter les dérives des approches uniquement individuelles, et quel est l'écueil lié au devoir de « gardien de son frère ».

CHAPITRE 6

L'erreur fondamentale de la psychiatrie scientifique

Le terme «psychiatrie» est apparu officiellement dans la première partie du XIXe siècle, période pendant laquelle elle fut reconnue comme une branche de la médecine scientifique. La folie (ou maladie mentale, ou trouble de la santé mentale) a toujours existé, mais elle a été abordée différemment selon les époques.

Hubert Wallot, dans son ouvrage *Entre la compassion et l'oubli: La danse autour du fou*, résume bien ces diverses périodes d'évolution et de révolution dans les mouvements de société et de charité, orchestrés tant par les responsables de l'ordre public que par les divers philanthropes et professionnels de la santé.

«Ainsi, de manière cyclique, des individus, dont le discours est repris par des groupes d'intérêt, introduisent une révolution humanisante de la prise en charge de la folie, révolution qui, après quelque temps, sera dénoncée comme une nouvelle oppression. De manière cyclique, un scandale suscite un investissement public ou charitable massif dans le secteur de la maladie mentale, suivi d'un amenuisement progressif et imperceptible de cet investissement jusqu'à l'éclatement d'un nouveau scandale[31].»

Dans un ouvrage sur le suicide, il me semble important d'aborder ces diverses étapes de l'évolution de la psychiatrie, pour permettre à la fois à la personne suicidaire et aux siens qui ont besoin des soins de santé mentale de tirer le meilleur parti de ces services et d'apprendre à ne pas tomber dans la même erreur.

Voyons, au fil des diverses étapes de changement de la psychiatrie scientifique, l'erreur fondamentale qui détourne les soignants de leurs objectifs thérapeutiques après quelques années de mise en place d'une nouvelle façon de faire et d'une restructuration des services ; cette erreur qui s'installe, c'est le peu d'importance accordé à l'autonomie de l'être humain, c'est-à-dire à sa participation essentielle au succès des interventions thérapeutiques pour en faire un citoyen autonome. La priorité est donnée au diagnostic de la maladie et aux traitements, tant en psychiatrie que dans les divers milieux de vie, familiaux, de travail ou d'éducation. On commence tout juste, par exemple, à proposer aux enfants autistes une éducation adaptée à leur handicap pour leur permettre de devenir des adultes fonctionnels, plutôt que de les laisser dans des centres de jour hospitaliers où l'éducation pour l'autonomie du sujet n'est pas une priorité. La pitié se substitue à la compassion pour la personne troublée et entraîne des dérives qu'il faut sans cesse redresser par des restructurations.

De Philippe Pinel à la désinstitutionnalisation : oubli de la nature autonome de l'humain

Philippe Pinel et le traitement moral

Dans son *Traité médico-philosophique sur l'aliénation mentale, ou la manie,* publié en 1801, Philippe Pinel, un pionnier de la psychiatrie scientifique, a décrit les principaux types d'aliénation mentale et les éléments de son « traitement moral[32] ». Le traitement moral était fondé sur une approche à la fois humaniste et scientifique. Pinel considérait qu'il y avait toujours une partie saine chez le malade mental, et qu'en s'adressant à cette partie saine, on devrait parvenir à faire disparaître les symptômes qui aliénaient le sujet perturbé. L'idée de s'adresser à cette partie saine, une approche porteuse d'espoir, a été rapidement oubliée dans le maintien du malade à l'asile.

Michel Foucault et l'enfermement du malade mental

Michel Foucault, dans sa lecture du sort réservé au malade mental un siècle plus tard, a fait valoir que les asiles furent la consécration du grand enfermement du malade mental, contrairement à ce qui prévalait dans l'approche philanthropique du traitement moral. Selon lui, le traitement moral n'avait rien de scientifique et relevait d'un « sadisme moralisateur[33] ». Pinel a-t-il été récupéré par les autorités publiques ? Il est évident que c'est sadique de faire croire au malade qu'on l'écoute réellement dans ses préoccupations, alors qu'on fait seulement « comme si » pour mieux imposer son plan thérapeutique. Tout un enjeu toutefois, loin d'être réglé encore de nos jours, que de considérer la personne troublée mentalement comme une personne responsable et participante à sa vie et à son traitement.

Les psychotropes

L'arrivée de la chlorpromazine (Largactil) après la Seconde Guerre mondiale a été un moment clé dans l'histoire de la psychiatrie[34]. Voilà qu'une médication permettait non seulement de faire cesser les cris des malades, mais d'observer enfin des signes de guérison chez le patient psychotique. Les premiers antidépresseurs et les tranquillisants mineurs, les benzodiazépines comme le Valium et l'Ativan, faisaient aussi une différence telle que même les chirurgiens y avaient recours pour leurs patients fragilisés[35]. Sans les médicaments, il serait souvent impossible d'installer des contextes de santé, mais encore faut-il par la suite écourter les rechutes grâce à des habitudes et à des contextes de vie sains, car les médicaments perdent de leur efficacité avec l'usage et les récidives prolongées.

La Charte des droits de l'homme

Le début du XXe siècle a été la période de l'explosion de la psychiatrie, et des centaines d'approches, tant biologiques que psychologiques et environnementales, ont fait leur apparition dans le traitement de diverses manifestations de la maladie mentale. Dans la seconde moitié du XXe siècle, du moins en Occident, les gouvernements, sous l'influence des chartes des droits de l'homme, étaient interpellés par le sort réservé aux malades dans les asiles et par la nécessité de répondre aux exigences nouvelles du respect de l'autonomie du malade. Ce fut le début de la désinstitutionnalisation. On devait assurer des traitements psychiatriques là où le malade vivait.

Lors de cette révolution suscitée par la *Charte des droits de l'homme* et l'arrivée de ces nouveaux médicaments, on a pu sortir les fous des asiles, mais on était encore loin de concevoir des services qui respecteraient l'autonomie du malade et les besoins de transition vers cette liberté. Les services psychiatriques s'organisaient en effet autour du maintien du malade dans sa communauté, mais en accolant toujours à celui-ci l'identité d'une personne à protéger, non d'une personne responsable pouvant participer à la société. Bien sûr, il n'était plus enfermé, mais s'il s'opposait au suivi offert, il était tout simplement laissé à lui-même. Rien de plus difficile que de passer de l'enfermement à la liberté sans être aidé, durant son apprentissage, à être de nouveau responsable. On a vite déploré cette désinstitutionnalisation massive, et ce n'est pas encore terminé, comme en témoigne souvent la une des journaux.

Du modèle biopsychosocial et du DSM-III au modèle du Rétablissement et des soins partagés

Les années 1980 virent la publication d'un outil de diagnostic, le DSM[36], ainsi que l'apparition du modèle biopsychosocial de Georges L. Engel[37], un gastro-entérologue psychosomaticien. Tous deux furent publiés par l'APA (American Psychiatric Association) et ont eu une dérive commune en interagissant l'un avec l'autre.

Le modèle biopsychosocial a été adopté par la majorité des départements universitaires psychiatriques pour intégrer les divers courants thérapeutiques. À nouveau, on croyait avoir trouvé la formule pour aborder la complexité des malades mentaux. Ce ne fut qu'une autre illusion d'intégration des réalités du malade et des interventions dont ce dernier a été et est encore l'objet. Le psychiatre s'est orienté vers le morcellement des volets biologique et psychosocial en misant principalement sur le traitement médicamenteux des maladies mentales, mieux circonscrites par le nouveau code de diagnostic.

En effet, avec la publication du DSM-III et le développement des traitements pharmacologiques qui s'est ensuivi, le volet psychosocial fut progressivement considéré comme secondaire ou, au mieux, complémentaire, et laissé aux autres professionnels. C'est au cours de ces années que le psychiatre a quitté pour de bon la logique de la complexité de l'être humain pour s'investir dans le volet biologique de la psychiatrie.

La préoccupation clinique du respect de l'autonomie du sujet relève des théories systémiques et de la complexité des êtres vivants. « C'est une façon de saisir la réalité qui reconnaît l'interaction comme principe fondamental de tout ce qui vit. » L'approche systémique fut reléguée aux thérapies familiales et éliminée du quotidien du psychiatre et des services de santé mentale. On fait de l'éducation aux familles sur les maladies, mais on n'aide pas les familles à installer un contexte relationnel sain de personnes autogérées.

On ne saurait rencontrer un psychiatre ou même un médecin de famille de nos jours pour des problèmes de santé mentale sans être mis sous médication. Qui ne connaît pas maintenant la sérotonine, l'adrénaline et la dopamine ? Une telle chose était impensable avant 1980. Les médicaments étaient réservés aux grands malades ou aux malades dans la communauté qui ne répondaient pas à un premier traitement psychologique. L'arrivée des nombreux psychotropes ne peut être qu'une bonne chose si l'on se rappelle que même les médicaments ont besoin d'être « aidés » pour un rendement optimal.

Le mouvement du Rétablissement et des soins partagés

Depuis la désinstitutionnalisation, le mot « psychiatrie » est remplacé de plus en plus par le terme « santé mentale », et depuis les années 2000, les soins directs en psychiatrie ne représentent plus que 30 % des services en santé mentale. Les soins partagés ou en collaboration (*shared care*) éloignent même le psychiatre des services directs au patient. Dans le nouveau système de soins, le psychiatre donne des consultations au médecin traitant et à son équipe. Il est le spécialiste du volet biologique de la maladie mentale, selon l'objectif des Soins intégrés (ou *collaborative care*) au Canada et aux États-Unis et des diverses politiques de santé mentale en Occident.

Il s'agit là du mouvement du Rétablissement[38] et des soins partagés de première ligne. Le patient psychiatrique n'est plus prisonnier de l'étiquette de malade mental. Il peut avoir accès aux services appropriés sans craindre le tabou de la maladie mentale. Il est traité par son médecin de famille qui peut discuter de ses troubles de santé mentale avec le psychiatre des soins partagés. Les services psychosociaux sont aussi offerts en première ligne, tout comme les services communautaires de soutien au malade dans son milieu de vie. Attention aux dérapages possibles si on ne tient pas compte du contexte de vie !

La stigmatisation de la maladie mentale

L'industriel dans le « cas du lithium » (voir page 21) ne pouvait pas rester chez lui s'il refusait de reconnaître la peur de sa femme devant les premières manifestations de sa maladie. Il aurait été hors de question pour elle de rester avec lui et de le protéger de lui-même dans ses crises. S'il avait voulu s'organiser seul en voulant prouver qu'il pouvait se passer de l'aide de tous, il serait devenu un être dangereux, plus dangereux que la moyenne. Un être autonome ne peut se maintenir en bonne santé dans l'isolement. **Il vit alors dans un froid qui gèle toutes ses qualités d'être humain**. Une intervention dès le premier contact avec les services de santé, et encore plus de la psychiatrie, devrait donc avoir pour objectif, avant tout, de rétablir l'équilibre du contexte de vie. L'information concernant les symptômes devrait être aussi donnée, incluant l'accès potentiel aux services. Il appartient aux soignants d'aider le milieu à ne pas surcompenser pour les abus attribués aux symptômes.

On ne peut plus s'en tenir non plus qu'à faire disparaître les symptômes. On doit aider la personne qui a vécu un épisode de psychose à retrouver ses capacités fonctionnelles, tant sociales que cognitives. On prenait soin du malade. Maintenant, on cherche depuis peu à ce que le malade reprenne le contrôle de sa vie avec les autres, tout autant que de sa maladie. Tout un changement de culture en psychiatrie et dans notre société !

Il serait plus efficace de faire disparaître la stigmatisation de la maladie mentale en intervenant dès les premiers signes indiquant qu'une personne se détache de son milieu, pour éviter que la maladie se développe ou lui fasse perdre toute sa crédibilité[39]. Le déploiement des ressources de santé mentale en première ligne laisse croire à cette intervention avant la maladie, mais elle se limite encore trop souvent à l'individu seul, et non à l'individu et son contexte. Ne serait-il pas temps que le champ d'expertise de la psychiatrie se déplace vers les moments stratégiques d'apparition de la maladie mentale, en impliquant les familles comme partenaires sous les soins d'un psychiatre formé en prévention des maladies mentales ? En effet, lorsque la maladie est devenue résistante au traitement, il y a bien peu à faire, si ce n'est protéger le malade. Reconnaître la vulnérabilité de l'humain dans les diverses étapes de sa vie et l'aider dans sa résilience plutôt que d'attendre que sa maladie mentale réponde aux critères du guide des diagnostics (DSM) deviendraient le nouveau champ d'expertise de la psychiatrie[40].

CHAPITRE 7

Vers une psychiatrie postmoderne

Une psychiatrie postmoderne serait une psychiatrie orientée vers l'assainissement des contextes dès les premiers signes de souffrance des individus vivant dans ces contextes.

Le terme « postmoderne[41] » renvoie aux théories de la communication et des relations. Il ne s'agit pas ici de lancer un débat sur l'existence ou l'inexistence de la maladie mentale. Comme psychiatre urgentiste, j'ai trop vu de gens malades pour contester l'existence de la maladie mentale, peu importe son origine. Je veux plutôt, à partir de mon expérience clinique, reconnaître l'importance des relations et des communications pour établir un nouvel équilibre entre les personnes, permettant à la santé plutôt qu'à la maladie d'émerger, aussi bien dans les familles que dans les réseaux professionnels de la santé. L'interniste doit transférer au chirurgien son patient diabétique qui a négligé son traitement ou ses habitudes de vie au point d'avoir à être amputé d'un membre gangréneux. Comment ne plus attendre le diagnostic de gangrène, mais apprendre à intervenir bien avant l'apparition évidente de la maladie mentale ?

Effets potentiellement pervers d'une approche individuelle

On se préoccupe des preuves scientifiques de l'efficacité des psychothérapies, mais on dispose de peu d'études sur les effets pervers des thérapies individuelles sur le contexte de vie du sujet traité.

La thérapie psychodynamique, longtemps perçue comme la « vraie » thérapie en psychiatrie, semble plus respectueuse de l'autonomie du sujet en attribuant aux causes intrapsychiques ses troubles fonctionnels. Cependant, elle est avant tout individuelle et peut être profitable si patient et soignant prennent en considération les dérives malsaines qui vont à l'encontre des besoins d'une personne autonome.

En effet, une approche exclusivement individuelle peut entraîner une dérive malgré les bénéfices qu'on peut lui imputer, car elle présente le risque de déséquilibre dans les rapports interpersonnels lorsqu'un nouvel acteur, le thérapeute, s'ajoute au système. Les règles du jeu peuvent changer sans que les personnes impliquées participent à ce changement. Les personnes concernées, mais non présentes, peuvent être diabolisées plutôt qu'encouragées à participer à un autre mode de gestion des problèmes. En voici un bel exemple:

BERTRAND ET LE SUICIDE PAR NÉCESSITÉ

Ingénieur de profession, Bertrand doit consulter un psychiatre pour des troubles dépressifs et anxieux dès la vingtaine. Il a été le fils préféré de son père et est resté sous le contrôle de ce dernier, alors qu'il a pris femme à 30 ans et a eu deux enfants avec elle. Bertrand se sent utilisé par tous, son père, sa femme et ses enfants, et ne cesse d'en parler à ses thérapeutes. Il n'a développé, malgré ses thérapies, aucune habileté à se donner un contexte équitable. Déprimé, il parle souvent de suicide. Après plusieurs années d'une vie étouffante avec lui, sa femme décide de le quitter. Les enfants veulent aussi échapper à cette vie désespérée en évitant leur père. Ils en sont à souhaiter que la menace du suicide se réalise pour les sortir de cet enfer. Ils l'expriment bien devant leur père lors d'une rencontre familiale, après 20 années passées à s'oublier pour leur père malade. Bertrand et son entourage n'ont jamais été rencontrés ensemble par le psychiatre ni par le psychologue qui ont traité Bertrand afin de discuter des conditions de vie de chacun. La famille a dû s'adapter à la maladie de Bertrand en oubliant en quelque sorte de mener une vie normale. Bertrand finit par se suicider sans avoir jamais pu aborder avec les siens ni une nouvelle façon de vivre, ni une manière de se protéger d'eux autrement que par des menaces d'en finir. Espérons que les survivants de Bertrand apprendront à reconnaître les prisons sans barreaux dans lesquelles ils se trouvaient pour ne plus s'y laisser enfermer, plutôt que de miser sur le suicide en tant que clé de cette prison.

Toute intervention risque d'être détournée de son objectif si l'être humain autonome et les siens ne font pas partie de l'élaboration du plan et de son application. L'imprévisibilité du suicidaire[42], par exemple, vient de sa nature complexe; des idées ou des solutions émergent sans que lui-même ou les autres aient pu les prévoir. D'où l'importance de s'entendre entre personnes concernées sur ce à quoi on ne veut pas arriver, en gardant à l'esprit, entre autres, le délai fatidique de huit heures relié à l'impulsivité du geste suicidaire. C'est ce qu'on appelle la « cause finale » en systémique. Par ailleurs, faire croire au suicidaire qu'il doit participer, alors qu'on lui demande en fait de se conformer aux attentes de son milieu, c'est le placer dans un contexte de double lien (*damned if you do, damned if you don't*; traduction libre: que vous fassiez quelque chose ou que vous ne fassiez rien, vous avez tort). La commande qui lui est faite dans ce double lien est la suivante: « Si tu veux être considéré comme une personne valable, tu dois **à la fois** penser, sentir et agir comme nous t'enseignons à le faire et te comporter par ailleurs en personne responsable de tes choix. » Ignorer l'impact sur les proches des interventions thérapeutiques faites sur un des leurs ou, à l'inverse, l'influence des proches sur les comportements du sujet traité est porteur de grande confusion.

Les écueils du devoir d'être le « gardien de son frère »

Les thérapies sont proposées pour enrayer le suicide, et c'est sur le soignant que repose leur succès. Le soignant reçoit des services de santé le mandat de prendre la responsabilité d'empêcher le suicide, plutôt que d'installer un contexte où toutes les personnes concernées par le suicide pourront discuter de leur vulnérabilité respective devant l'option suicidaire de l'un des leurs, maintenant et à l'avenir. Le suicidaire et les siens ont intérêt à devenir les personnes clés dans le succès de la thérapie, car ce sont eux qui vont subir les conséquences du suicide.

Il est évident que la mentalité de participation aux solutions est de plus en plus présente dans les divers milieux de vie, là où il y a absence de trouble mental.

Le problème du respect de l'autonomie se pose de façon aiguë lorsque l'aidant est interpellé dans son rôle de gardien de son frère[43]. Plusieurs ont pu se poser cette question lorsqu'ils ont vu un ami vouloir partir d'une soirée au volant de son auto alors qu'il était dans un état d'intoxication avancé. S'opposer à la personne intoxiquée, qui est convaincue d'être brimée dans ses droits en se faisant interdire l'accès à sa propre voiture, exige une réflexion préalable. On sait déjà, cependant, qu'on se retrouve dans un double lien[44] soi-même. L'on doit prendre, dans ces circonstances, la « moins pire » des décisions en élaborant déjà le raisonnement que l'on donnerait soit au juge, à qui une plainte serait faite au sujet de droits non respectés, soit à l'ami lui-même, qui serait offusqué d'avoir été forcé par d'autres à abandonner sa voiture jusqu'au lendemain. Par ailleurs, ne pas lui interdire de conduire n'est pas non plus acceptable : on peut être blâmé de ne pas l'avoir fait.

Ce genre de situation est des plus fréquentes en psychiatrie. C'est pourquoi l'on a traditionnellement ignoré la dimension du respect de l'autonomie dans les situations de crise, et encore plus dans les cas de crise suicidaire, pour traiter l'état maladif du sujet et assurer sa protection. On s'enlise par contre, sans l'avoir décidé, dans le **protectionnisme** que nous décrirons plus loin, un système relationnel dans lequel l'autonomie du sujet est mise au second plan et les traitements et comportements surprotecteurs au premier plan[45]. Il devient virtuellement impossible, si la question de l'autonomie n'est pas abordée dès le premier contact, de remettre au suicidaire les clés de sa vie et de le libérer de nos comportements surprotecteurs, car il ne semble plus jamais prêt, ni à nos yeux ni à ceux des siens, à reprendre la responsabilité de sa sécurité ou de sa vie. Nous aborderons plus loin l'éthique dans les situations complexes lorsqu'on se voit dans l'obligation de protéger temporairement quelqu'un contre lui-même et qu'on veut éviter de le maintenir à jamais dans un rapport protectionniste malsain.

Pour amorcer une psychiatrie postmoderne

Il est bien connu de tous les intervenants en psychiatrie que le transfert d'un cas de la psychiatrie vers d'autres services n'est pas chose facile.

LE CAS DE L'AVC

Je me souviens du cas d'un accident vasculaire cérébral (AVC) probable qui s'était présenté directement à l'urgence d'un hôpital psychiatrique. Je n'avais pas hésité à demander à la famille de repartir immédiatement avec le patient vers l'urgence de l'hôpital général, sans mentionner leur passage à notre urgence. Je ne voulais pas téléphoner pour demander un transfert et risquer de tomber sur un collègue que je ne connaissais pas ; ainsi le traitement aurait pu être retardé de plusieurs heures, ce qui, dans le cas d'un AVC, aurait considérablement diminué les chances de récupération du patient. C'était dans les années 1990 ; je ferais probablement la même chose maintenant.

Par ailleurs, un patient traité en psychiatrie perd rapidement sa crédibilité auprès des somaticiens. En voici un exemple.

LA PATIENTE ET L'ORTHOPÉDISTE

Une patiente m'avait été retournée (en psychiatrie) par un orthopédiste alors qu'elle ne pouvait pas marcher. Je connaissais cette patiente et je ne pouvais me passer d'une investigation neurologique plus poussée pour expliquer cette incapacité à sortir du fauteuil roulant auquel elle était confinée depuis son arrivée aux urgences. J'ai rappelé mon collègue, qui m'a précisé que ma patiente était une hystérique. À ma demande, un autre collègue l'a examinée, et on lui a découvert une tumeur cérébrale envahissante, dont elle est d'ailleurs décédée quelques mois plus tard.

À la lecture de ces deux exemples, on pourrait souhaiter qu'un cours accéléré et intensif soit donné aux médecins pour faire disparaître leurs préjugés envers les patients psychiatriques. Je ne crois pas cependant que les médecins veuillent vraiment rejeter nos patients ; je suis toujours émerveillée par leur accueil « temporaire » lorsqu'ils sont convaincus que mon patient a vraiment besoin de leurs services et que je pourrai le reprendre. Mais ils ne veulent surtout pas être pris avec un problème dont ils ne pourront plus se défaire, ni être ridiculisés pour n'avoir pas été assez clairvoyants sur l'origine psychologique de certaines maladies. Ils apprennent à être de plus en plus futés dans leurs moyens de faire valoir l'inutilité d'un transfert. Et la culture se transmet…

LE CAS DE LA PATIENTE ÉPILEPTIQUE

Une patiente était sous investigation par un neurologue pour des crises épileptiques d'une forme rare. Elle avait même fait l'objet d'une présentation à des étudiants, qui avait suscité beaucoup d'intérêt. Or, à la lecture de l'électroencéphalogramme effectué durant une de ses crises, on a constaté l'absence d'une cause organique cérébrale dans la manifestation épileptique. Il s'agissait donc de pseudo-crises d'origine psychologique. La patiente a reçu son congé sans autre avis que celui de revoir son médecin de famille, ce qui a précipité chez elle une tentative de suicide. De patiente exclusive, elle était devenue une patiente rejetée dans un silence réprobateur.

Si les somaticiens et les psychiatres pouvaient prolonger leurs observations ensemble dans une unité médico-psychiatrique, ils pourraient s'entendre sur le choix du service le plus pertinent pour le patient. On n'en resterait pas aux sentiments de méfiance et de manipulation. Ils auraient l'expertise en mains pour développer un argumentaire commun et la solution en découlerait. Tous y gagneraient : les professionnels de la santé, les patients et leur entourage.

Ce ne sont pas les idées et les projets qui manquent, c'est leur implantation visant à donner le pouvoir aux acteurs qui fera une différence. Se donner une structure de réorganisation autour du patient et des siens pourrait passer par un dossier médical électronique (DME), imputable en termes de qualité et d'efficacité des services, et accessible aux soignants comme aux patients. Il ne devrait plus être réservé qu'aux soignants. Encore trop souvent, le dossier est planifié comme la boîte noire des avions, des bateaux et des locomotives : pour évaluer après-coup les catastrophes plutôt que pour évaluer en continu des services par les pourvoyeurs et les utilisateurs. J'invite le lecteur à lire *Medicine in Denial* de Lawrence et Lincoln Weed, publié en 2011[46].

Le suicide n'est pas la première solution de la personne désespérée, mais il peut le devenir lorsque cette personne a simplement été l'objet des interventions des aidants, tant ceux de son réseau personnel que ceux des organismes professionnels, plutôt que le sujet participant aux solutions dès les premières rencontres. **L'expertise dans les contextes de participation**, qu'on peut aussi appeler contextes d'équipe, devient l'expertise à acquérir, tant par les professionnels de la santé que par le malade et les siens, pour faire face aux obstacles qui ne cessent de surgir dans tout projet thérapeutique ou dans tout projet de vie, lorsque le trouble mental apparaît chez un membre du groupe.

En terminant ce chapitre sur les dangers de l'approche linéaire biopsychosociale aux troubles mentaux (traiter le trouble sans se préoccuper de la finalité, c'est-à-dire de là où nous allons avec l'intervention), inutile de souligner les craintes qu'ont, depuis la sortie du DSM-5, les Allen Frances[47] de la psychiatrie de voir tout comportement le moindrement marginal se faire apposer un diagnostic de maladie mentale et susciter un traitement non indiqué…

2e PARTIE

SYSTÈMES, PROTECTIONNISME ET ÉTHIQUE

CHAPITRE 8

Comprendre la perspective systémique et le changement

Pseudo-changement ou changement réel ?

« Plus ça change, plus c'est pareil », dit le dicton.

DELPHINE

Dans les années où les retraites fermées d'une semaine étaient offertes aux jeunes étudiants et travailleurs catholiques de la ville, une adolescente, Delphine, avait écrit à sa famille alors qu'elle faisait une telle retraite : « Vous allez me voir vraiment changée à mon retour ! » « Quelle bonne nouvelle ! » de s'exclamer, en lisant ces mots, l'entourage qui vivait plus ou moins bien les sautes d'humeur fréquentes de la jeune fille. Un mois après son retour, on lui fit remarquer qu'elle était redevenue comme avant. Et l'adolescente, dans une perspective systémique, de répondre : « Moi, j'avais changé, mais vous, vous n'aviez pas changé. » L'adolescente saurait s'en tirer un jour, car elle savait déjà que le changement devait être une entente entre les parties en place. La règle du jeu et les attentes importaient, mais Delphine ne pouvait pas proposer une nouvelle façon de faire à sa famille, car la règle était que c'était elle qui devait changer. Elle ne pouvait que constater l'effet des autres sur elle et le changement qui pouvait s'opérer en elle lorsqu'elle était mise dans un nouveau contexte. Connaître ces différences ne suffisait pas pour changer son comportement en réaction aux gens de son entourage, mais lui donnait beaucoup d'espoir pour l'avenir.

Faire le diagnostic de son contexte est une chose; le transformer pour qu'il nous soit favorable en est une autre.

Atteindre l'objectif visé ne permet pas nécessairement de produire le changement désiré.

Aux prises avec le phénomène de la stigmatisation de la maladie mentale dans la population en général, on a fait valoir l'origine biologique de ce type d'affections pour en faire des maladies « comme les autres ». Or, la maladie mentale affecte le jugement de la personne touchée, et si le trouble mental n'est plus lié aux épreuves de sa vie, mais qu'il relève d'une cause organique ou héréditaire spécifique, le malade est perçu comme plus dangereux à côtoyer pour le citoyen qui n'a jamais été exposé à ce type de maladie[48]. On a constaté que la personne aidante est plus à même de s'approcher de la personne mentalement perturbée lorsqu'elle peut relier le trouble mental aux conditions de vie du sujet et qu'elle croit possible de ramener celui-ci à son état normal antérieur en travaillant sur ces conditions. L'information sur l'origine biologique de la maladie a été bien disséminée, mais elle a entraîné l'effet opposé: les gens se sont mis à éprouver plus de crainte à l'égard du malade troublé par des erreurs de son code génétique.

« C'est le système ! » entend-on souvent dire pour justifier l'impossibilité d'apporter quelque changement que ce soit. « Il n'y a rien à faire[49]. » L'individu veut bien changer, mais il est ramené aux modèles d'interaction du milieu, comme ce fut le cas pour Delphine. Bien des gens ont voulu changer la société en se lançant en politique, mais ils ont constaté après quelques années la difficulté d'en arriver à un vrai changement tout en maintenant l'équilibre du groupe. Par ailleurs, là où on a misé sur les révolutions et risqué le chaos pour apporter un changement réel, on n'est souvent parvenu qu'à retarder une évolution plus favorable, comme le mentionne François Furet dans son analyse du communisme et du fascisme[50].

« Ce n'est qu'un peu plus de la même chose », ou mieux : « Les choses ont vraiment changé »

Du point de vue du soignant, les explications au manque de changement ou au changement réel peuvent varier à l'infini. « Vos problèmes durent depuis si longtemps que vous ne pouvez pas vous attendre à de vrais changements sans entreprendre une très longue thérapie. » Freud soutenait que l'humain se formait durant les six premières années de sa vie. Par ce postulat, il semblait sous-entendre que passé ce délai, les changements devenaient cosmétiques. Pourtant, il n'hésitait pas à suivre des patients en psychanalyse avec l'espoir de changer leur vie, même en quelques mois. Freud était neurologue et avait appris que le cerveau était immuable après que le sujet eut atteint la maturité, mais il travaillait comme s'il misait sur la découverte à venir de la neuroplasticité du cerveau pour traiter ses patients. Nous reviendrons sur cette notion importante de neuroplasticité, qui est un concept récent en médecine, et sur l'effet sur le cerveau des traitements et nouvelles pratiques, la méditation de pleine conscience par exemple : le cerveau est toujours apte à créer de nouveaux circuits neuronaux si le chemin vers les anciens est bloqué[51].

Au cours des processus thérapeutiques, il serait bon de vérifier, entre autres, si le sujet reprend les mêmes habitudes ou si, au contraire, il se crée de nouveaux circuits neuronaux grâce aux changements apportés aux contextes relationnels. S'entendre entre nous pour ne plus donner de pouvoir aux comportements colériques, par exemple, permet d'apprendre de nouveaux moyens pour protéger son territoire qui émergeront de la capacité neuroplastique de nos cerveaux. Nous verrons dans la troisième partie **les choses à ne plus faire (des routes à bloquer) et les choses à essayer**.

La **psychiatrisation** est un processus de chronicisation psychiatrique. Le terme désigne donc à la fois l'**état diminué** du sujet qui est suivi en psychiatrie depuis longtemps (diminué dans ses capacités à décider pour lui-même et à réagir selon les normes sociales) et le **processus même de détérioration** qui s'installe au cours de ces longs traitements psychiatriques. On pourrait parler d'une culture de la psychiatrie qui influence tant les comportements du sujet traité que l'identité dont il vient à hériter dans ces lieux de traitement. Le mouvement du Rétablissement[52], qui a vu le jour au cours des dernières années, est né du désir des patients d'être traités et vus comme des personnes à part entière et non comme des « maladies ambulantes ». Cependant, les patients constatent encore que, bien que l'attitude de leur famille et de leurs amis change, leurs soignants s'adressent encore à eux dans un rapport dominant-dominé, protecteur-protégé[53]. Une culture, ça ne se change pas unilatéralement, comme en témoignait le cas de Delphine. Il n'y a pas de milieu neutre. Des apprentissages s'y font et une culture se développe.

Les **services psychiatriques des hôpitaux généraux** accueillent maintenant toutes sortes de malades, de ceux qui constituaient auparavant la clientèle des asiles à ceux qui y sont de façon temporaire, comme les patients suicidaires. Comment y trouver son compte, si on doit y rester de quelques jours à quelques semaines, sans être désormais considéré – ni se considérer soi-même – comme un malade psychiatrisé ?

GISÈLE

Gisèle me disait lors d'une entrevue après une hospitalisation pour un épisode de manie : « Je serais encore de l'autre côté (en parlant de l'unité d'hospitalisation près de mon bureau) si je n'avais pas eu la foi. » Ce qu'elle voulait dire en parlant de sa foi, je le comprenais comme faisant partie des miracles de la vie dont on peut jouir si l'on sait dans quels chemins ne plus s'embourber et dans lesquels il est bon de se maintenir. Gisèle avait encore un lien très significatif avec sa sœur lorsqu'elle avait accepté d'être hospitalisée en psychiatrie, bien à contrecœur, après l'expérience éprouvante d'une hospitalisation antérieure survenue 10 ans auparavant. Sa sœur communiquait avec sa « partie saine » pour lui faire comprendre qu'elle était trop malade pour fonctionner à l'extérieur de l'hôpital sans danger grave de perdre toute sa crédibilité. Durant son épisode de manie, qui alternait avec des épisodes suicidaires, elle était convaincue d'avoir trouvé l'âme sœur chez l'homme qui avait porté plainte contre elle pour harcèlement. Cette plainte à la police n'était à ses yeux qu'un autre obstacle qui lui permettrait de lui prouver l'amour qu'elle lui portait.

Elle pouvait cependant encore croire sa sœur, qui lui disait que ses perceptions étaient touchées par la maladie. Elle savait aussi qu'elle voulait reprendre le travail et qu'elle ne pouvait se permettre de perdre sa crédibilité. Elle a accepté de prendre du lithium et a pu revenir dans la réalité. Elle a plutôt travaillé par la suite à guérir de ses blessures d'enfant ; elle avait été abusée par une mère qui avait toujours raison et régissait la famille sur un modèle autoritaire rigide, et qui souffrait elle-même de troubles affectifs. Le miracle de sa foi a été d'entendre sa sœur et de ne plus voir l'hospitalisation comme une preuve qu'elle n'avait plus rien de valable, mais comme un moment, une étape pour reprendre sa vie en main, avec entre autres une médication, mais surtout pour apprendre à prendre sa place dans la vie en toute humilité, sans jamais plus se faire humilier ni se maintenir dans des rapports de contrôle avec les autres.

Bref, Gisèle avait découvert la notion des systèmes et pouvait dorénavant se protéger des autres sans attaquer ni miser sur ses illuminations causées par sa maladie pour imposer sa vérité. Elle pouvait diriger son bateau dans les mers qu'elle choisissait et s'entendre avec d'autres capitaines de bateau pour créer une flotte, mais n'avait plus à faire valoir son bateau ou à l'imposer à qui que ce soit. Elle proposerait des projets aux personnes qu'elle choisirait et leur laisserait aussi le choix d'accepter ou de refuser sa proposition sans se voir diminuée par leur refus. Elle serait d'autant plus touchée par leur acceptation qu'il leur était possible aussi de ne pas accepter dans un esprit de respect.

C'est bien en gardant contact avec les siens comme une personne responsable et non comme une personne protégée et psychiatrisée que l'on peut profiter des bénéfices d'un traitement dans un milieu psychiatrique.

Comment un individu peut-il changer le système dans lequel il évolue ?

Je ne veux surtout pas parler ici des grands projets de société, mais comment se fait-il qu'une famille vivant dans une société ayant adopté la *Charte des droits de l'homme* ne parvienne pas à vivre dans le respect mutuel au quotidien ? Je veux m'en tenir à la réalité du sujet et de son réseau personnel, et du sujet évoluant dans une culture où la violence ne serait plus un moyen accepté de faire valoir ses idées ou de poursuivre ses projets. Nous aborderons au chapitre 10, « Éthique de la réciprocité », l'importance à accorder à la règle relationnelle pour que tout un chacun prenne part aux changements plutôt que de se faire imposer les solutions.

Les règles du jeu d'un système s'installant dans le quotidien

Un enfant ne choisit pas les règles qui régissent les siens et il ne peut surtout pas changer ces règles, comme Delphine l'a réalisé après sa retraite fermée. Il ne peut que se soumettre ou se révolter, ou encore faire exploser le système. Il peut aussi se donner pour objectif de créer un jour sa propre famille, dans laquelle la vie serait encadrée de nouvelles règles. Il ne peut absolument pas transformer le système à lui seul, tout comme une personne vivant en couple n'est plus à même de transformer le système conjugal dans lequel elle s'est engagée. Si, à l'occasion d'une crise, d'une explosion, d'une maladie mentale, les membres du couple ou de la famille acceptent de consulter une tierce personne, non pas pour traiter les pathologies ni attribuer la cause de la crise ou de la maladie à un des membres, mais pour s'entendre sur une nouvelle façon de régler les problèmes interpersonnels et adopter une nouvelle règle d'autoprotection dans le respect des limites de chacun, il est alors possible de changer le système.

Un système ne peut se changer de l'intérieur s'il est fondé sur la règle du « bon père de famille ». La contestation de ce bon père et de ses bonnes intentions risquerait de nous faire perdre ses largesses plutôt que de nous amener à faire changer la règle. À remarquer que ce « bon père » peut être une mère, un frère, une sœur, un ami, un soignant. Nous reviendrons au chapitre 9 sur le système protectionniste qu'est la gestion du bon père de famille et sur les culs-de-sac dans lesquels elle nous enferme.

Victime, trouble de personnalité ou famille dysfonctionnelle ?

On attribue trop souvent la souffrance ou les plaintes d'une personne qui ne répond pas aux traitements au fait que la personne souffrante se pose en victime, est victime d'une famille dysfonctionnelle ou encore présente un trouble de la personnalité. On ne pense pas à proposer la règle d'autoprotection dans le respect des limites de chacun. Le diagnostic de la personnalité masochiste a déjà été proposé dans les classifications officielles des maladies psychiatriques, mais n'a jamais été retenu, car on craignait la dérive vers la déresponsabilisation des personnes ayant des comportements sadiques à l'égard de ces malades dans des rapports sadomasochistes. « Une femme battue est une femme battable », explique le conjoint qui a porté la main contre sa femme. Le geste est interdit, lui dit-on, et il est considéré comme coupable de ce geste inacceptable, même s'il peut expliquer pourquoi il l'a fait et ne se définit pas comme une personne violente. Il ne s'attaque pas à la relation, mais s'en prend encore aux autres.

Eleanor Roosevelt, à l'origine de la *Déclaration universelle des droits de l'homme*, disait: «Nul ne peut vous faire sentir inférieur à moins que vous ne lui en donniez le pouvoir.» L'application de la charte permettait à toute victime potentielle de faire connaître la nouvelle règle du système, qui est le respect de l'autonomie de chacun. Comment se fait-il qu'en début du XXIe siècle, plus de 60 ans après la promulgation de cette charte, et bien des années après son adoption dans les pays occidentaux, il y ait encore des victimes dans les milieux familiaux et les milieux du travail?

Le syndrome de la grenouille

Une grenouille qui tombe par inadvertance dans un seau d'eau bouillante aura le réflexe de sauter hors du seau pour se protéger; si on la met dans l'eau froide et qu'on augmente progressivement la température de l'eau, la grenouille s'adaptera jusqu'à mourir ébouillantée.

L'humain s'enferme progressivement dans un système dont il ne peut sortir à moins d'une explosion ou de l'intervention d'une personne qui se trouve à l'extérieur du système. Une trop bonne adaptation peut se retourner contre la personne. L'expression populaire «l'élastique est trop étiré» traduit bien ces excès d'adaptation. Le médecin qui se limite à traiter la maladie de la personne prise dans un système relationnel étouffant et de doubles liens risque de nuire plutôt que d'aider, car la maladie ou la tentative de suicide sont les portes de sortie d'une telle situation devenue intolérable.

Doubles liens et familles dysfonctionnelles

La notion du double lien a été apportée en psychiatrie par Gregory Bateson[54], alors qu'il s'intéressait aux aspects de la communication susceptibles de rendre une personne mentalement malade.

Le commun des mortels comprend qu'il y a un double lien lorsqu'une personne est tenue de prendre une décision alors qu'aucune décision n'est bonne à prendre: *Damned if you do, damned if you don't.* Cette impossibilité d'agir doublée du devoir d'agir est très nocive lorsque les acteurs sont dans un rapport intense.

Qu'il y ait ou non coexistence d'un trouble mental, un double lien dans la communication interpersonnelle rend toujours malade ou dysfonctionnelle la personne qui en fait l'objet si cette dernière ne parvient pas à le nommer et à le dénouer progressivement. Les conditions pour qu'un double lien s'installe sont aussi importantes que les éléments qui le constituent.

Inspirée des Bateson et Watzlawick, cette origine de la maladie dans les relations malsaines fut progressivement ignorée dans l'approche des malades mentaux après, entre autres, l'épisode de Bettelheim[55] et des mères schizophrénogéniques d'enfants autistes dans les années 1960-1970. Les preuves que l'autisme était d'origine organique ont eu pour effet de condamner les cliniciens et théoriciens qui croyaient au rôle des contextes relationnels dans la maladie. Une mère m'en a beaucoup voulu d'avoir souhaité parler des relations du père avec son fils alors que ce dernier souffrait de psychose, comme si chercher à installer de bons rapports relevait d'une tout autre logique et allait contre celle du traitement de la psychose.

Un autre cas de double lien: une situation dans laquelle on demande à une famille de s'impliquer pleinement auprès de son parent malade alors que, au niveau des échanges d'information sur le problème, elle doit se soumettre aux décisions des professionnels sans participer au processus décisionnel. Elle se verra blâmée soit de ne pas coopérer, soit de prendre une attitude soumise.

Lors de la crise suicidaire, les professionnels de la santé ne peuvent plus aborder le suicidaire sans l'impliquer, lui et les siens, dans le processus de réorganisation. Il ne s'agit pas de nier les symptômes ni l'importance de la sécurité du sujet, mais les soignants ne pourront plus agir sans l'engagement tant de la personne suicidaire que des siens à pallier autrement leur détresse respective, à court et à moyen terme. C'est un **moment clé de vrai changement** et non de pseudo-changement. Et c'est le nouvel arrivant, surtout celui qui pourrait prendre le problème sur ses épaules, le professionnel consulté, qui est à même de redéfinir la règle relationnelle, celle de la coopération dans la réciprocité. À la personne suicidaire, il doit demander selon la règle d'or de la réciprocité[56]: «Comment vous sentiriez-vous si cette personne que vous aimez pensait à en finir, si elle était en détresse comme vous?»

Par ailleurs, la personne suicidaire ne peut pas s'engager unilatéralement à suivre cette règle d'or qu'est la réciprocité. Si elle et les siens s'engagent aussi à le faire, ils devront réévaluer leurs aspirations et leurs valeurs, à la lumière de leur nouvelle éthique familiale. Nous verrons plus loin comment installer un contexte de coopération dans la réciprocité avec le principe éthique correspondant à « comment ne pas faire aux autres ce qu'on ne veut pas que les autres nous fassent ». Nous soulignerons tout au long de cet ouvrage les principes éthiques qui nous guident pour sortir d'un double lien en prenant la décision la moins nuisible en regard de l'intérêt de chacune des personnes impliquées, des réseaux personnels auxquels elles appartiennent et, bien sûr, de la survie de la société.

Voyons maintenant les deux grands systèmes autour du « devoir de gardien de son frère », et la roue de la victimisation qui en découle et dont on doit sortir pour vivre dans le respect de l'autonomie de chacun.

CHAPITRE 9

Le protectionnisme, un système pathogénique

Très jeune, un enfant se fait une idée des rapports humains, de ce qu'il peut attendre des autres et de la manière de se défendre. Albert Einstein a décrit un modèle comme une image simplifiée et intelligible de nos expériences. L'humain développe son modèle de l'aide qu'il peut obtenir bien avant de pouvoir en parler. Son modèle est habituellement celui de la personne qui protège le faible et qui s'oublie pour l'autre, comme ses parents l'ont fait (ou auraient dû le faire) pour lui.

Avec l'âge, l'humain se retrouve rapidement dans cette démarche paradoxale qui consiste à vouloir agir à sa façon tout en souhaitant pouvoir compter sur l'autre pour sa sécurité et ses besoins nourriciers. Il ignorera facilement l'autre et ses besoins s'il n'a pas la chance d'être rappelé au principe de la mutualité par ses parents, au cours de son enfance et de son adolescence. Malheureusement, il arrive que l'enfant se retrouve dans une multitude de genres de jeux de blâme et de chantage entre les parents. L'enfant apprend pour sa survie à tirer son épingle du jeu en manipulant un parent contre l'autre. Il en paiera cependant la note quand il sortira de chez lui et tentera de répéter le même jeu, le seul qu'il maîtrise bien, au travail et dans son réseau personnel.

Au cours de mes premières années de pratique, inspirée par les théories des communications, je tentais, dans un rapport de mutualité avec le malade, de reconnaître sa souffrance tout en l'aidant à se comprendre lui-même, ainsi que ceux qui lui faisaient du tort. Je sentais un réel agacement chez mes patients lorsque je refusais de condamner l'absent que le patient tentait par ailleurs de diaboliser. Je voulais être empathique à la souffrance du malade, mais en essayant de l'aider à mieux se protéger lui-même plutôt que de l'encourager à compter sur moi. Je sentais des moments de tension, et il n'était pas rare que le malade agisse de façon à devoir être hospitalisé ou à forcer ma protection. Octave, 28 ans, a été un exemple de ce genre de comportement.

OCTAVE

Octave a été hospitalisé après une tentative de suicide interrompue. Il a déjà rencontré plusieurs soignants lorsque je le vois pour la première fois dans l'unité. Dès les premiers instants, il me fait sentir quelque peu coupable de ne pas avoir en main toute l'information de chacun des soignants et, dans son langage non verbal, me témoigne sa grande souffrance. Il blâme déjà quelques personnes qui n'ont pas tenu parole. Ce qui a précipité son geste suicidaire, c'est l'évaluation d'un expert qui l'a jugé apte à reprendre son travail alors qu'il était en congé maladie depuis six mois. Il me place déjà devant un mur, car sa demande est claire sans avoir à être formulée. Octave veut un certificat médical pour prolonger son congé. Je n'ai aucune marge de manœuvre dans ce double lien. J'ai affaire à un adulte habile à faire sentir l'autre coupable. Comment l'amener à utiliser son intelligence pour résoudre le problème autrement qu'en faisant agir les autres et en les contrôlant ?

Octave venait d'être hospitalisé après l'intervention de l'expert. L'expert n'a pas eu raison de lui, et la nouvelle psychiatre que j'étais aurait été bien naïve de croire qu'elle le pourrait. Elle l'avait déjà été, naïve, mais elle avait appris à reconnaître un modèle d'interactions dans lequel on pouvait s'enliser, le modèle protectionniste. Un psychiatre systémicien, Lyman Wynne[57], dans les années 1950, a décrit la barrière de caoutchouc contre laquelle il rebondissait lorsqu'il rencontrait des familles de patients souffrant de schizophrénie. Octave ne souffrait pas de schizophrénie, mais il était entouré de cette clôture de caoutchouc qui le rendait inaccessible et repoussant pour quiconque tentait de l'atteindre directement et de l'amener à voir à ses blessures avec les autres. Les traitements s'étaient avérés inefficaces pour Octave et le demeureraient si on ne cherchait pas à faire disparaître cette clôture faite de blâme et de disqualification, la barrière de protection grâce à laquelle les bons protègent le petit contre les méchants.

> Je demande donc à Octave, dès les premiers instants, de me dire qui est le plus coupable chez lui. Il me répond sans même prendre le temps d'y penser: « Papa. » Il me décrit les diverses étapes d'abandon de son enfance. Je lui propose pour les jours suivants de réfléchir avec les siens, car ce sont les siens qui auraient perdu un des leurs et je suis certaine que mes seuls traitements ne permettront pas de le sauver. Il faut en informer les gens de son entourage, sa famille.

Je m'intéresse à lui, mais je veux comprendre avec lui le jeu dans lequel lui et les siens se sont enfermés, sans m'y coincer moi-même comme il m'arrivait de le faire auparavant.

J'ai nommé ces échanges entretenus dans le blâme et les crises que j'observais dans la majorité des familles l'« ensemble protectionniste[58] ». Je l'ai appelé ensemble plutôt que système, parce que je voulais regrouper à la fois:

1) les aspects caricaturaux des protagonistes – antagonistes dans leurs désirs de sauver l'autre et d'être sauvés;
2) l'inefficacité des communications;
3) les mécanismes de maintien d'un tel ensemble toujours à risque d'exploser;
4) les crises de plus en plus fréquentes.

Tous avaient raison et tort simultanément. Les preuves des bonnes intentions liaient le tout, et tout questionnement sur une attitude nous ramenait contre la clôture de caoutchouc. Essayer d'aider l'un d'eux sans aborder l'ensemble dans lequel il évoluait m'est apparu progressivement aussi risqué que se placer entre bébé ours et maman ourse. J'y perdrais ma tête, comme les autres l'avaient perdue dans cette contagion émotionnelle. On devait assainir le contexte avant de penser traitement, comme le chirurgien s'interdit de mettre son bistouri dans une plaie infectée par crainte de contagion bactérienne.

Les quatre éléments du protectionnisme

Dans un tel contexte de relation intense et émotive, qui avait tout du double lien, j'ai décrit ainsi les quatre éléments qui constituaient cet ensemble protectionniste alors que je commençais ma carrière d'urgentiste:

1. Duo fusionnel: protecteur (sauveur) et protégé (sauvé)

D'une part, le protecteur, devenu l'agent du protégé, se donne le droit de décider et d'agir à la place de celui-ci. Il s'estime indispensable à sa survie. Le protecteur devient une caricature de lui-même tant il se suridentifie à son rôle au détriment de ses autres attributs personnels. Il passe occasionnellement aux menaces, soit d'abandon de son protégé, soit de poursuites voilées, pour imposer son plan. Il en est de même pour le protégé. Bien qu'il soit juridiquement apte à décider par lui-même, le protégé donne à son protecteur, par ses comportements verbaux et non verbaux, le pouvoir de décider et d'agir à sa place. Il ne prend plus ses responsabilités et ne parle plus pour lui-même, mais il utilise les pouvoirs de son protecteur et même de sa maladie. Il se soumet ou s'oppose à son protecteur, ou il disparaît, ou il distrait son auditoire lorsqu'il a perdu tout repère significatif dans sa relation. Ultérieurement, un protégé peut devenir un protecteur et vice versa, selon les circonstances. Répétant le modèle, il peut aussi devenir le sauveur d'un groupe. Tous souffrent, protecteurs et protégés se sentant victimes les uns des autres (voir « La roue de la victimisation », page 74) et ne parvenant pas à changer ce système dans lequel ils évoluent.

Notez que le protecteur tout comme le protégé peuvent être une personne, un groupe de personnes ou même un ensemble institutionnel. Les asiles du passé sont un bel exemple de protectionnisme.

2. Communication inefficace

Les acteurs évitent de discuter entre eux des problèmes qui les affligent par peur de s'enfoncer dans l'indénouable. Les communications sont superficielles puisque ces gens ne savent pas parler de la relation de contrôle en elle-même, et toute allusion aux comportements erratiques de l'autre les replonge dans des échanges sans fin concernant qui a tort et qui a raison. Par ailleurs, pour se donner bonne conscience, les protecteurs ne cessent de faire valoir leur amour et leurs bonnes intentions à l'égard de leurs protégés. L'intervenant consulté, qui n'ose pas aborder ce rapport au départ, devra lui aussi utiliser des subterfuges pour faire comme s'il respectait l'autonomie et la capacité décisionnelle du client. C'est un contexte de doubles liens à risque d'actes suicidaires et de comportements maladifs pour échapper au contrôle de l'autre. Tenter de séparer protecteurs et protégés conduit à de nouveaux éclatements.

3. Blâme et disqualification

Ces moyens de contrôle sont universels : le blâme crée la honte et la culpabilité chez l'un et l'autre ; la disqualification exclut insidieusement l'autre de toute participation au processus décisionnel. « Il est trop malade, trop manipulateur, trop méchant. » On fera valoir en effet sa maladie ou ses troubles de personnalité pour expliquer ses comportements perturbateurs ou autoritaires, éliminant ainsi sans le vouloir tout espoir de changement. Le maintien de tels moyens de contrôle rend tous les acteurs inaptes à participer ensemble à la résolution des problèmes qui les touchent. Certains se taisent et se résignent. D'autres crient et se révoltent. Les protecteurs décident d'imposer des solutions selon un modèle autoritaire rigide pour reculer par la suite devant la détresse de l'autre.

4. Relation sujette aux éclatements

Les crises s'intensifient et se multiplient si l'un des protagonistes tente de sortir de la relation. Lorsque, à la demande de l'un des deux, thérapeutes ou amis se joignent au duo initial pour tenter de sauver la situation, ils deviennent à leur tour des agents surprotecteurs, ce qui augmente le sentiment de confusion quant aux rôles, aux territoires et aux responsabilités de chacun. On aura de la sympathie et de la pitié pour la personne perçue comme victime, ou on blâmera celui ou celle que l'on tient pour responsable des dérives. Tout aidant, naturel ou professionnel, risque de s'enliser dans une telle relation s'il ne la redéfinit pas avec les protagonistes dès le premier contact. C'est la tour de Babel où nul ne peut comprendre l'autre.

Indicateurs du protectionnisme

- Crainte *pour le protecteur lorsque la personne protégée est hors de sa vue ou de son radar (anticipation des pires scénarios).*
- Sentiments de honte et de culpabilité ou d'être disqualifié *pour tous et par tous.*
- Sentiments désespérés : *il ne reste qu'à exploser pour se sortir de ce double lien, tant pour le protecteur que pour le protégé. « Il faut que quelque chose arrive. »*
- Relations et échanges empreints de manipulation et de superficialité, *qui prennent différentes formes :*
  - *justifications (excuses) et accusations ;*
  - *preuves de bonnes intentions et doute sur les intentions de l'autre ;*
  - *sentiment d'avoir affaire à un enfant-roi ou à un adulte qui l'a été ;*
  - *impossibilité d'aborder un problème ;*
  - *clivage et secrets ;*
  - *apparition de nouveaux systèmes malsains : dépendance à la drogue, au jeu, troubles de comportement alimentaire, comportements antisociaux, suicidaires…*

Installation du protectionnisme en présence ou non de la maladie

Le protectionnisme s'installe à l'insu de tous, par réflexe et non après réflexion. Le « devoir de gardien du plus faible » est le principe activateur du système. Le système peut donc s'installer en continuité du réflexe des parents de surprotéger leur petit, qui ne parvient pas à apprendre à devenir responsable, soit en raison de ses propres difficultés à apprendre « normalement », soit en raison de l'inaptitude des parents à assumer leur autorité parentale dans un modèle de leadership souple plutôt que d'autorité rigide.

LE SAUVEUR DE L'EX-FEMME

Un ami me disait avec fierté qu'il venait de sauver la vie de son ex-femme. Il avait eu la prémonition qu'elle avait fait une nouvelle tentative de suicide en ingurgitant des pilules. Il était passé chez elle et fut à peine surpris de la trouver dans un état quasi comateux. Les ambulanciers l'ont transportée sans tarder aux urgences de l'hôpital. L'urgentiste a dit à mon ami que sans son intervention, son ex-femme serait morte quelques heures plus tard. Mon ami faisait une « surveillance au radar » sans se préoccuper de l'impact d'une telle surveillance. Il ne voyait que ses gestes de sauveur sans se préoccuper de la récursivité[59] (dérives et répétitions à l'infini) dans l'apprentissage de la position de personne sauvée. Mais il ne pouvait plus sortir de ce rôle sans qu'une tierce personne rencontre les deux parties et leur propose une nouvelle façon de faire dans l'éthique de l'autoprotection basée sur la réciprocité. **On ne quitte pas une balançoire à bascule sans avertir l'autre.**

Culture, valeurs, mentalité, comportements, aspirations vont ensemble. Le réflexe est de surprotéger la personne qui donne des signes d'incompétence plutôt que de créer des contextes où elle pourrait prendre soin de son handicap naissant dans un rapport d'être responsable. Dans le but de protéger les sensibilités de la personne, l'entourage s'embourbe dans des communications superficielles où il agit « comme si » la personne protégée était responsable, en lui donnant en réalité une identité d'irresponsable. Le protégé ne peut exprimer qu'il est traité en irresponsable, car on le lui cache par tous les moyens. Il est dans un double lien.

La roue de la victimisation

Lors des rencontres de concertation, pour aider surtout les plus jeunes à s'y reconnaître dans ces relations complexes et à la suggestion de plusieurs, dont la sociologue systémicienne Isabelle Orgogozo[60], j'ai illustré le protectionnisme par cette roue de la victimisation.

La roue de la victimisation dans un rapport protectionniste: **rôles**, **sentiments** et **moyens de défense**

Identifiez dans cette roue vos rôles, sentiments et moyens de défense et ceux de vos proches, puis comparez vos observations avec les leurs.

En utilisant la roue de la victimisation, nous demandons aux membres de la famille, y compris les adolescents et les plus jeunes, d'identifier avec des papillons (*Post-it*) de différentes couleurs leurs perceptions des rôles, des sentiments et des moyens de défense de chacun des membres de leur famille, incluant eux-mêmes. Cet exercice leur permet de nommer le jeu, d'identifier le modèle sans s'attaquer entre eux. Ils pourront s'entraider par la suite pour parvenir à ne plus jouer les anciennes partitions pathogéniques, et pour en découvrir d'autres dans un contexte assaini.

Sortir du protectionnisme

Comment sortir de cette roue de la victimisation ? En tournant cette page ensemble pour adhérer à la **Règle du respect de l'autonomie dans la coopération, l'autoprotection et la réciprocité**. On sait qu'elle est appliquée si chacun peut parler de ses **limites pour réorganiser les possibles**. Dans la troisième partie, le lecteur pourra se familiariser avec ce qu'il ne faut plus faire (les chemins de la mort) et ce qu'il faut essayer (les chemins de la vie) pour être respecté dans son autonomie tout en respectant celle des autres dans un esprit d'entraide.

L'adhésion à cette règle permet à la famille de se réorganiser aussi en sous-groupes fonctionnels, soit le sous-groupe parental et le sous-groupe des enfants, chacun pouvant parler aux autres sans intermédiaire, car protégé dorénavant par la règle et non par un protecteur.

> À la rencontre de la famille d'Octave, j'ai d'abord parlé de mon impuissance à sauver ce dernier malgré mon grand intérêt pour lui et pour les siens. Serait-il possible de discuter du passé de façon à nous permettre de vivre dans le présent, et de se construire à l'avenir un beau passé tout en vivant bien le présent ? Tout ceci en m'assurant que l'on comprenait bien mes propos... Nous sommes revenus sur les fautes passées, et chacun de leurs auteurs les a reconnues, non plus pour s'autoflageller à jamais, mais pour reprendre autrement ensemble. La règle (Règle du respect de l'autonomie dans la coopération, l'autoprotection et la réciprocité) fut proposée. S'ils acceptaient cette règle, ils devaient s'interdire les chemins de la mort. Ils ont accepté. Comment aborder alors la guérison d'Octave dans les chemins de la vie ?
>
> Nous avons pris les tout-terrains de la vie avec des pas en avant, en arrière, sur le côté, et Octave s'est trouvé un nouveau travail dont il était très fier après quelques mois dans la broussaille des certificats médicaux, des traitements et des rencontres de famille. Nous nous sommes assurés que nous ne retournions pas dans les chemins de la mort, qui se présentent sous les dehors des plus belles sirènes.

Les tentacules du protectionnisme

Une personne qui souffre de troubles cognitifs ou de troubles du comportement ne veut pas entrer dans un service de soins ou une résidence lorsqu'elle sent que quelqu'un de son entourage n'est pas d'accord : elle devient un géant intraitable, car elle se sent soutenue par un protecteur qui ne pense plus à ses limites. On devrait tous visionner le film *Amour*[61] pour saisir comment se présentent les sirènes du protectionnisme.

Habituellement, il y a dans la famille un des enfants qui prend le rôle de sauveur, jugeant l'autorité parentale inefficace, comme moi-même je l'avais fait dans ma propre famille. L'enfant sauveur n'a pas la chance d'être rappelé à l'ordre s'il évolue dans un milieu protectionniste. Il peut garder ce rôle même après avoir quitté sa famille.

Les comportements inadéquats – gestes violents, abus de drogues, tentative de suicide – donnent en effet encore plus de légitimité au protecteur lorsqu'il décide d'imposer ses solutions de dernière chance, une variation sur le thème du Jeu de la dernière chance. Pour mettre fin à cette roue de la victimisation, une des recommandations est celle-ci : « On ne doit jamais accepter une dernière chance proposée par l'autre. On doit s'attendre à avoir autant de chances que nécessaire, quitte à faire des essais et des erreurs, mais sans laisser aux autres le soin de corriger nos erreurs. » (Voir « Ce qu'il ne faut plus faire/ce qu'il faut essayer » au chapitre 11, page 93.)

Trop souvent, on veut nous faire accepter les abus comme des comportements culturels liés aux critères moraux du groupe. Laissons de côté le crime d'honneur dans ce propos. Combien de fois entendons-nous désigner les comportements autoritaires et abusifs d'un parent envers les siens comme faisant partie des critères moraux de la culture à laquelle appartient la famille ? Comment proposer une autre façon d'exercer son autorité parentale à des gens qui n'ont pas été sensibilisés aux rapports de réciprocité dans l'entraide ? Remettre à plus tard cette réflexion peut nous enfoncer avec eux dans les chemins de la maladie et de la mort.

À partir du moment où les membres de la famille adhèrent à la règle du respect de l'autonomie dans la coopération, l'autoprotection et la réciprocité, ils se mettent à échanger en respectant l'autonomie de tous – autonomie signifiant interdépendance et non pas indépendance – et, donc, en tenant compte de la vulnérabilité relationnelle de chacun. On n'essaie plus de former des sous-groupes dysfonctionnels, comme un parent protégeant un enfant contre l'autre parent ou contre ses frères et sœurs. On ramène l'existence des sous-groupes à la règle qui est maintenant sur la table. Les choix se multiplient et les réorganisations ne cessent de se faire par l'entremise de la résolution des problèmes dans le respect de l'autonomie de chacun.

Un sauveur dans les rets du protectionnisme

Si les professionnels de la santé éprouvent encore des difficultés à modifier leurs pratiques pour y intégrer le pouvoir décisionnel de leur patient, les familles en sont souvent à leurs premiers pas. Pour la majorité d'entre elles, lorsqu'elles demandent des soins pour un des leurs, surtout psychiatriques, c'est qu'elles considèrent avoir fait plus que ce qui est jugé raisonnable à l'égard de la personne malade. C'est leur façon de sortir de leur propre prison en faisant valoir que le malade doit recevoir des traitements médicaux. Elles s'attendent à ce que les professionnels de la santé prennent la relève pour forcer la personne malade à suivre les traitements qui s'imposent. Cette rencontre dans un contexte de crise et entre deux cultures, celle des familles et celle des professionnels de la santé, peut être le début d'une vie qui s'ouvre sur davantage de choix, ou encore la continuation de la série noire avec de plus en plus d'acteurs prisonniers de leurs propres jeux dans leurs aspirations à aider coûte que coûte, sans se questionner sur la direction que prend leur aide.

HENRI ET CLAUDE

Henri l'a appris à ses propres dépens en voulant aider Claude.

Henri, catholique pratiquant, décide de faire une bonne action le soir de Noël. Il neige, les cloches appellent les paroissiens à la messe de minuit. Les cantiques de Noël merveilleusement interprétés l'inspirent à faire un geste hors de l'ordinaire pour témoigner de sa foi. Il pense à tous ces itinérants dans la ville et se dirige vers le quartier où il est sûr de pouvoir en rencontrer un : il adoptera pour l'année le premier qui lui demandera l'aumône.

Claude, 28 ans, vit dans l'itinérance depuis plusieurs années. Quand il voit Henri s'avancer, il ne lui demande pas seulement l'aumône, mais l'hébergement pour la nuit. Henri ne s'attendait pas à cela. Adopter ne voulait pas dire héberger un inconnu chez lui, mais Claude lui apparaît sans malveillance. Pourquoi ne pas risquer de faire du bien, comme le souhaite l'autre ?

Claude parle beaucoup cette nuit-là. Il rapporte les déboires et les rejets qu'il a connus depuis sa tendre enfance. Ne pouvant apprendre normalement à l'école, il a passé la plus grande partie de son enfance dans les centres d'accueil. Par la suite, après avoir commis des vols par nécessité, il a dû faire de courts séjours en prison où il a été bafoué par les autres prisonniers. Henri se trouve chanceux de pouvoir donner le gîte à un pauvre homme abandonné des siens depuis si longtemps, et sans espoir d'amélioration sans aide extérieure. C'est le miracle pour les deux que cette rencontre : l'un jouit de ce que l'autre peut donner, l'autre est comblé par ce que l'un peut prendre.

L'histoire de Jean Valjean dans *Les Misérables* de Victor Hugo se répète : durant la nuit, Claude prend la montre et l'argent qu'Henri avait laissés sur la table de la cuisine et s'enfuit. À son réveil, en constatant ce vol et ce départ, Henri, à l'instar de monseigneur Myriel, se propose de rejoindre Claude pour lui donner un peu plus d'argent et de l'aider autrement qu'en l'accueillant chez lui. Henri encourage-t-il ainsi des gestes criminels en ne dénonçant pas Claude à la police ? Philosophe dans ses moments de loisir, Henri s'oblige à réfléchir aux moyens à prendre pour aider Claude à quitter sa vie d'itinérant sans l'obliger à passer à nouveau par la prison, où Claude n'est pas à même d'apprendre en raison de ses nombreux handicaps.

Dans un premier temps, il le classe non pas parmi les voyous, mais parmi les malades. Il essaie de faire traiter Claude dans les services de soins de santé mentale pour ses troubles de développement et son enfance traumatisante. Peine s'en fut. Le diagnostic : Claude est un asocial inapte à profiter des traitements psychiatriques ou psychosociaux. Henri se fait dire que c'est lui qui a un problème de penser que Claude peut, en dehors du cadre de la rue, apprendre à être honnête. Henri tente de faire valoir que Claude n'a pas eu une enfance favorable et qu'il est aussi porteur de séquelles organiques cérébrales dues à l'accouchement difficile de sa mère.

Henri devient la risée des services de santé. Il devient obsédé par ce refus d'aide et ne parvient plus lui-même à travailler. Il doit être soigné. On lui reproche de mal aider son ami en lui épargnant les conséquences de ses méfaits et de se rendre lui-même malade, soit pour exploiter les services de santé en raison de ses propres troubles de personnalité, soit par besoin névrotique de réparer son propre passé d'enfant négligé.

Mais rien ne peut convaincre Henri qu'il doit laisser Claude dans la misère pour retrouver son propre bien-être et sa capacité de fonctionner. Durant une de ses multiples rencontres avec les professionnels de la santé, un psychiatre mentionne qu'il parviendrait à se sentir mieux lorsqu'il avait découvert la façon d'aider sans rendre l'autre plus imbécile ni plus truand. Il se souvient que ce psychiatre lui a aussi dit qu'il était dans le bon chemin puisqu'il n'abandonnait pas Claude, malgré l'impuissance qu'il ressentait, et qu'il parviendrait dans cette persévérance à découvrir des chemins qui lui étaient inconnus.

Henri sent alors qu'une nouvelle dynamique s'installe. Claude commet un autre délit et il fait à nouveau appel à Henri pour éviter d'avoir à purger sa peine en prison. Henri parle plus clairement de ses propres limites. Cependant, Henri est bien conscient de faire une différence lorsqu'il se présente à la cour avec Claude : il réussit à convaincre à nouveau le juge des besoins de services professionnels psychosociaux de Claude. Un psychiatre est prêt à le suivre pourvu que Claude s'engage à respecter les règles du centre d'hébergement auquel il est confié. Henri ne peut héberger Claude, mais il peut être cette tierce personne qui fait de Claude une personne avec un réseau plutôt qu'un orphelin laissé pour compte. Claude réussit à s'adapter au centre d'hébergement.

Henri et Claude ont dû réfléchir à leur propre éthique, à leurs valeurs. Henri a pu constater qu'il y a plus de zones grises que blanches ou noires dans les réalités humaines. Le chemin pour faire du bien comporte plus d'allers-retours que de lignes droites. Il a dû aussi réviser plusieurs de ses croyances : l'oubli de soi, à l'instar de l'oubli de l'autre, est loin d'être la solution et conduit davantage au suicide qu'à une vie meilleure.

Les solutions ne sont pas évidentes lorsqu'on cherche à sortir du marasme dans lequel on se trouve avec une autre personne en « consultant » les professionnels de la santé. Recourir aux services de santé mentale et psychosociaux est une démarche fort délicate pour une famille. Même dans un état désespéré, Henri et Claude se sont vu fermer chacun leur tour les portes de la psychiatrie. Henri, qui avait agi en sauveur, cherchait d'autres sauveurs pour venir en aide à Claude et à lui-même. Les intervenants refusaient eux aussi de se faire imposer des solutions. Mais ni l'une ni l'autre des deux parties ne sont parvenues à s'asseoir pour réfléchir ensemble sur leurs impuissances et leurs devoirs respectifs.

Après avoir quitté les chemins de la mort et du sauveur, Henri n'a pas laissé tomber Claude. Il a saisi l'importance du lien d'attachement entre les humains. Henri avait appris ce lien avec les siens, mais il en avait minimisé l'importance en croyant uniquement aux gestes du sauveur.

N'étant plus sous la protection d'Henri, Claude était prêt à apprendre à établir de nouveaux liens, car il savait qu'Henri ne pouvait plus le surprotéger sans se sentir pour autant abandonné par lui. Henri n'empêchait plus Claude de participer au succès de ses traitements et de l'aide psychosociale dont il faisait l'objet. En sortant des rets du protectionnisme, Henri et Claude ont pu retrouver leur pouvoir d'agir avec les autres, plutôt que de s'en tenir aux pouvoirs de faire agir comme auparavant.

CHAPITRE 10

Éthique de la réciprocité

Le devoir de « gardien de son frère »

Quand Victoria Leigh Sotho a perdu la vie en protégeant ses élèves du meurtrier Adam Lanza le 14 décembre 2012 lors de la tuerie de l'école Sandy Hook au Connecticut, elle a réagi instinctivement et bravement : elle était dans le rôle de gardienne de ses élèves. Elle avait bien essayé de sauver les enfants en les cachant d'abord dans les toilettes, mais le tueur est arrivé trop rapidement. Elle a dû sacrifier sa vie en essayant l'impossible pour sauver ainsi les autres enfants visés. Onze des dix-sept enfants de sa classe ont survécu. On lui a décerné la médaille présidentielle des Citoyens.

Ce que Victoria a fait, une bonne majorité de nous l'auraient aussi accompli. La détresse des autres nous amène à réagir instinctivement pour leur venir en aide. C'est le travail de nos cellules miroir[62]. Nous nous identifions à l'autre. La personne qui agit ainsi devient pour tous un héros, car elle aurait pu tout aussi bien ne pas agir. Devant la détresse des autres, il est inhumain de rester indifférent.

Toutefois, dans le protectionnisme, les émotions de honte et de culpabilité contrôlent la voie haute et empêchent protecteurs et protégés de réfléchir sur les boucles d'interactions et d'apprentissage (la récursivité) qui se développent lorsqu'un rapport de surprotection s'installe sur une période prolongée. Le protecteur n'a de cesse de vouloir donner à l'autre ce qui lui manque en pensant faire son « devoir de gardien de son frère », et le protégé, de croire que sa survie ne relève plus que de son protecteur. Ce n'est plus une impulsion de sauver ou d'être sauvé, c'est un mode de vie.

Qu'en est-il de l'éthique d'entraide dans ces émotions sociales ?

L'éthique est le choix des valeurs favorables au maintien de l'autonomie et de la responsabilité de chacun dans les relations d'aide (il ne s'agit pas là du code de déontologie de nos ordres professionnels respectifs, qui est bien défini et qui n'implique pas de doute ni d'incertitude dans son application).

L'éthique nous amène à adopter une autre façon d'agir et à nous donner une autre culture. La définition de l'éthique par Hoy nous semble très éclairante pour nos propos sur le suicidaire et les abus : « Ce sont les obligations à remplir qui ne peuvent être forcées et qui ne relèvent ni d'un code déontologique ni de la loi. » (*Obligations that present themselves as necessarily to be fulfilled but are neither forced on one or are enforceable*[63].)

Edgar Morin utilise le terme « éthique complexe » en soulignant que « le devoir a besoin d'un savoir ; faire son devoir n'est souvent ni simple ni évident, mais incertain et aléatoire[64] ». Nous pourrions parler ici d'éthique de la complexité. Moi, l'autre et le groupe devons aligner nos intérêts vers une finalité commune. Je ne peux m'oublier, ni oublier l'autre, ni oublier le groupe. Les bonnes intentions et la coopération vont de soi, mais ne suffisent pas. On doit sortir des échanges d'entraide en se sentant tous intègres, l'aidant se sentant moins essentiel pour la personne aidée qui, elle, apprend à composer avec ses problèmes avec plus de choix et de confiance en elle. L'aidé se réapproprie son pouvoir d'agir dans le respect de sa nature d'être autonome : il faut donc lui apprendre à pêcher plutôt qu'à recevoir indéfiniment du poisson de la part de l'aidant. Il n'est cependant pas exclu qu'on lui en donne au départ pour l'amener à recouvrer un état qui lui permette d'apprendre à pêcher.

« Ne pas faire aux autres ce qu'on ne voudrait pas que les autres nous fassent » est la **règle d'or** dans le rapport d'aide. L'empathie est au centre de notre rapport d'aidant et d'entraide. En raison même de cette empathie pour la personne en détresse, j'ai choisi délibérément de formuler par « ne pas faire aux autres » plutôt que par « faire aux autres », car trop souvent, « faire aux autres » par empathie nous rend aveugles aux habitudes que l'on crée ce faisant. Le parent qui fut négligé comme enfant et qui s'oublie pour tout donner à son propre enfant créera chez ce dernier des attentes irréalistes qui pourront le rendre paradoxalement désespéré et suicidaire. « Faire aux autres », c'est aussi imposer à l'autre le bien sans son avis, une pente dangereuse vers le contrôle de l'autre. « C'est toute la reconnaissance que tu as pour tout ce que je t'ai donné ? » entend-on dans les milieux protectionnistes où les protecteurs n'ont fait que prendre soin de leur honte et de leur culpabilité en croyant prendre soin de l'autre.

Dans notre préoccupation du suicidaire, nous avons toujours tenté de ramener ce dernier parmi les siens en lui donnant l'occasion de réfléchir à ses propres valeurs sur le suicide potentiel des personnes qui lui sont chères. Habituellement, le suicidaire se dit bouleversé à l'idée que son geste puisse être imité par les autres, en particulier par les personnes pour lesquelles il ressent de la tendresse et de l'empathie. Grâce à ce sentiment de générosité envers l'autre, la personne en détresse peut saisir progressivement l'importance de se libérer de la majorité de ses contraintes pour ne plus en arriver à tuer l'autre, car il saisit que se tuer, c'est tuer l'autre, et réciproquement. La priorité deviendra « ne pas faire à l'autre », et il y aura hiérarchisation conséquente dans les autres aspirations.

SACHA ET SES NOUVELLES PRIORITÉS

Sacha, 44 ans, mère de deux préadolescentes, fut rencontrée à la suite d'une tentative de suicide avortée dans un contexte de tension conjugale qui durait depuis au moins deux ans. Sacha a compris, au fil de nos rencontres, les conséquences désastreuses qu'aurait son suicide sur ses enfants, et même sur son futur ex-conjoint. Trois mois plus tard, elle a pu refuser la demande en mariage de son conjoint, qui voulait par ce mariage éviter une déportation due à un visa échu depuis longtemps. Dans son état d'esprit antérieur, elle aurait en désespoir de cause acquiescé à cette demande expéditrice, mais n'ayant désormais plus d'option suicidaire, elle a su aider le père de ses enfants autrement.

Comprendre les comportements dans une approche systémique a permis à Gaston et aux siens de se consoler autrement du suicide d'Émile et de ne plus craindre le suicide des survivants.

ÉMILE ET GASTON

Émile, 32 ans, décide de se tuer en laissant un message à son père, Gaston : « Papa, tu as toujours été bon à mon égard, mais je souffre trop. Je sais que tu comprendras. » Émile souffrait de troubles schizo-affectifs et ne pouvait réussir sa vie comme on aurait pu s'y attendre dans son milieu favorisé. Le frère aîné avait déçu son père en ne reprenant pas les affaires familiales. Émile, pour sa part, en raison de sa maladie, ne pouvait plus répondre aux attentes paternelles. Le père lui avait bien dit qu'il ne lui en tenait pas rigueur. Cependant, après le suicide du fils, c'est le père qui doit consulter en psychiatrie pour des troubles dépressifs, développés à partir d'une très grande culpabilité suscitée par ce suicide. Sa femme et son fils aîné se sont consolés en attribuant le geste à la maladie, ce que le père n'est pas parvenu à faire. Il savait intuitivement que la maladie ne pouvait expliquer un tel geste. Émile et lui avaient pu souvent partager sur le plaisir d'être ensemble. Néanmoins, à la façon d'un protecteur, il se culpabilisait du geste de son fils. Il en voulait quelque peu à sa femme de s'être libérée trop facilement de sa culpabilité en attribuant le geste à la maladie, comme les experts l'en avaient convaincue et tentaient de l'en convaincre lui aussi.

Gaston, le père d'Émile, présente en effet bien des symptômes dépressifs. Avant le suicide de son fils, il avait su passer à travers de multiples épreuves ; jamais il ne s'était rendu malade mentalement et n'avait été déprimé au point de devoir consulter un psychiatre. La génétique était moins en cause dans sa dépression que le suicide de son fils, dans le contexte de la dynamique familiale.

Gaston avait été abandonné et même rejeté de sa famille d'origine et il avait voulu réparer son passé en se donnant corps et âme à sa femme et à ses enfants. Il voulait aider son fils au point de le faire sentir à l'aise de vivre à ses dépens pour le reste de sa vie. Gaston avait perdu son père à 10 ans. Sa mère lui en avait toujours voulu d'être le favori de ce père méprisant qui disait devoir protéger son fils contre elle. Il avait à peine 15 ans lorsqu'elle lui a demandé de quitter la maison et n'a jamais voulu le revoir. Le curé de la paroisse l'a aidé à poursuivre ses études, ce qui l'a rendu résilient dans ses épreuves. Gaston a pu réussir à ne pas abandonner les siens, mais la blessure qu'a laissée le rejet de sa mère l'a aveuglé sur le besoin de son fils d'être confirmé dans ses capacités à agir. Il ne pensait qu'à protéger Émile et voilà qu'Émile se tue. Quelle sorte de protection a-t-il donnée à son fils? Gaston a surprotégé son fils, comme lui-même l'avait été par son propre père.

Tous ces protagonistes et antagonistes ignoraient à la fois la complexité des êtres humains, les sous-groupes familiaux malsains et la règle du respect de l'autonomie dans la coopération, l'autoprotection et la réciprocité. Gaston avait besoin de comprendre que tous évoluaient depuis trop longtemps dans les chemins de la mort, là où il n'y a aucune solution gagnante. Oser être à nouveau heureux avec les siens après le suicide de son fils l'a obligé à comprendre avec les siens qu'ils étaient les acteurs d'un **jeu sans fin**. Nul n'était à blâmer. C'était leur ignorance du jeu en place qui les avait rendus inadéquats et malheureux. Se fier au traitement de la maladie d'Émile sans aborder ce jeu avait été l'erreur.

Contextes de victimisation et moyens pour y remédier

Protéger son enfant des abus de l'autre parent ne permet pas d'adhérer à une éthique familiale de respect de l'autre dans la réciprocité. L'enfant peut se retourner contre le parent protecteur ou essayer de le contrôler par l'entremise du blâme et des menaces d'abandon. C'est ce qui survient souvent lorsqu'un parent expulse l'autre parent, diabolisé dans ses comportements violents. Mettre l'abuseur à la porte ne met pas fin aux comportements abusifs dans la famille si on ne réfléchit pas ensemble sur la spirale de récursivité de ces abus. On répète les comportements appris dans son enfance comme on emploie spontanément sa langue maternelle. On ne peut modifier les deux, comportements et langues, qu'après réflexion sur les règles syntaxiques.

Moyens pour sortir de la victimisation

Une personne qui se plaint trop souvent d'avoir été ou d'être une victime risque d'être enfermée dans son identité de victime. La description des abus, si elle permet au début de susciter la sympathie, avec la durée et le nombre d'événements, crée un effet contraire.

« La victime crée son propre malheur », vient-on à croire. En effet, victimes et abuseurs ont appris à se protéger en attaquant, en se blâmant mutuellement, et se maintiennent ainsi dans le cycle abuseurs-victimes dont ils ne peuvent sortir que par des explosions, même suicidaires ou homicidaires.

Les stratégies pour s'en sortir ou pour aider l'autre à s'en sortir obligent à une réflexion sur son éthique dans le quotidien, que l'on soit dans la position de victime, de personne accusée, de personne interpellée ou de témoin.

Il est en effet dangereux pour une victime de prendre un ton pleurnichard pour dénoncer une situation inacceptable, comme dans le cas de l'employée victime (voir chapitre 11, page 107). Il faut plutôt reconnaître son indignation ou l'injustice dont on est victime pour mieux prendre les rênes de sa propre protection. Pour ce faire, rien de mieux que de :

- *raccourcir la période de manifestations hystériques dues au réflexe rotulien*[65] *;*
- *s'adresser à un tiers pour réfléchir aux diverses stratégies ;*
- *accepter des pertes éventuelles pour bien aborder le problème ;*
- *mettre la priorité sur l'arrêt des coups en minimisant les pertes.*

Planifier de se venger n'est surtout pas la solution, car cette recherche de vengeance peut entraîner un gaspillage d'énergie et perturber l'état d'esprit nécessaire à d'autres projets. Évaluer les pour et les contre de la présentation de sa cause devant les tribunaux est par ailleurs nécessaire.

Dans le cas où un professionnel est accusé, ce dernier doit toujours faire appel à un tiers. Un tiers peut être une entente sur une règle ou un moyen pour régler les différends. Il faut s'assurer que la personne qui se sent abusée puisse avoir accès à d'autres personnes pour discuter de sa relation avec le professionnel accusé et des changements à apporter pour le retour à une communication efficace avec ce professionnel, ou avec un autre, selon le cas. Dans les hôpitaux, elle peut s'adresser à l'ombudsman, mais ce dernier n'a malheureusement pas le mandat d'assainir les relations. Il ne peut entendre une plainte que si elle lui a été signalée par écrit. Il cristallise ainsi les problèmes plutôt que de voir à les résoudre rapidement avec les acteurs en place.

Ignorer le problème est une stratégie souvent utilisée. Elle peut permettre aux acteurs de régler leurs différends entre eux. Cependant, le suivi reste toujours nécessaire pour s'assurer que les personnes en cause ont pu régler leurs problèmes dans le cadre des règles existantes.

LE CHEF DE BUREAU

Le chef d'un bureau en expansion s'est retrouvé devant le risque de perdre sa meilleure adjointe, contestée par l'assistante d'un nouvel associé. Associés et employées sont venus lui demander de congédier cette femme. Le chef ne pouvait se permettre de perdre cette adjointe qui avait donné et donnait encore de si bons services. Il voulait cependant rencontrer toutes les employées pour leur demander de cesser de réagir sur le mode émotionnel, et de regarder le problème dans l'intérêt de l'équilibre du milieu. Il n'y aurait pas de survie au bureau si on se permettait de réagir émotivement. Le chef était prêt à regarder ce qui ne fonctionnait pas en respectant les réalités de chacun. Une autre rencontre se ferait dans quelques semaines pour discuter des problèmes. Tout est rentré dans l'ordre. Ce n'est que plus tard qu'il a su que l'assistante du nouvel associé en imposait à son patron. Ce dernier, à la suite de la réunion, a cessé de donner du pouvoir à ses propos émotifs.

Ignorer le problème sans faire le suivi des solutions peut être néfaste à long terme. Ignorer par exemple les abus entre enfants peut entraîner des comportements antisociaux rendus légitimes en tant que moyens de défense, que ce soit dans les écoles ou dans les familles.

Blâmer la personne qui parle d'un problème est tout aussi improductif. Planter un drapeau sur le problème lorsque les acteurs ne sont pas prêts à l'aborder, c'est déjà ne pas mettre le problème sous le tapis. Il est bon de clarifier les moyens interdits, tels le blâme et l'intimidation. Enfin, il faut faire le suivi sur les solutions qui peuvent émerger des personnes en conflit elles-mêmes.

Au lieu de banaliser un problème qui ne se règle pas, il est bon de clarifier le cadre dans lequel les personnes en cause devront solutionner le problème, comme a su le faire le chef de bureau. Gaston, pour sa part, a été aidé. Il a décidé de consulter et de s'ouvrir à d'autres, plutôt que de s'enfermer dans sa culpabilité et de blâmer les siens de leur manque de sensibilité (voir page 84).

Le rôle des témoins du harcèlement d'un membre de la famille, d'un élève ou d'un travailleur, dans les écoles ou en milieu de travail, est primordial dans l'arrêt ou la persistance du harcèlement. Dans les petits groupes, une politique de non-harcèlement peut suffire, comme dans le cas de Quentin (voir chapitre 11, page 121), mais dans des milieux où le nombre d'individus est plus important, on doit informer la population de la portée du rôle des témoins. Isoler l'abuseur et entourer la victime sans confrontation se sont avérés fort efficaces dans les écoles.

Blâmer un abuseur ou lui prêter de mauvaises intentions n'est pas efficace pour faire cesser l'abus. Relever un comportement abusif et appliquer les conséquences le sont beaucoup plus, surtout dans un milieu où l'éthique est une priorité. Les dénonciations dans l'attaque peuvent susciter, à l'instar des comportements pleurnichards, des réactions sadiques même chez des gens qui ne veulent surtout pas être qualifiés de sadiques, comme des soignants ou des directeurs bienveillants. Un dénonciateur n'est jamais le bienvenu et est rarement félicité. Devoir dénoncer un collègue, un des siens, signifie qu'il n'y a plus d'espoir pour une éthique commune. Le dénonciateur ne dispose alors d'aucune bonne solution. Il ne reste dans ce cas que les solutions « les moins mauvaises ».

Les sentiments d'indignation

Les attributs innés universels dont traite Steven Pinker dans la troisième partie de son livre *The Blank Slate*, intitulée « Human Nature With a Human Face » (nature humaine à visage humain), sont des plus pertinents dans une discussion concernant l'éthique dans nos comportements humains. « Nul ne veut être esclave ; nul ne veut être humilié ; nul ne veut être traité injustement[66] » (traduction libre). Peu importe notre culture, le sentiment d'indignation peut nous entraîner loin dans nos gestes abusifs si l'on nous traite injustement.

Pour les victimes, le sentiment d'indignation devant les injustices ou les mauvais traitements qui les affligent est au premier plan. Il incite les personnes déjà déséquilibrées (loin de leur centre d'équilibre), sans espoir de retrouver quelque peu leur zone de confort, à accomplir le geste suicidaire lorsqu'un dernier coup, même petit, s'ajoute aux autres, déjà trop nombreux. C'est ce qui fait dire aux chercheurs intéressés aux liens entre harcèlement et suicide que le harcèlement seul ne suffit pas à causer le suicide. Il faut que la personne suicidaire soit déjà dans un état et un contexte défavorables rendant la résilience impossible, tant en raison de son état que de son isolement.

L'éthique de la complexité et le protectionnisme

Là où il y a protectionnisme, il y a abus occasionnels ou anticipation d'abus. Là où il y a maladie mentale sans retour à un climat serein dans une éthique de la réciprocité, il y a un plus grand risque de suicide. Mettre fin au protectionnisme et à l'isolement peut signifier le début d'une autre vie.

L'éthique de l'aidant l'amènera donc à aider une victime autrement qu'en devenant son protecteur, car il risquerait alors de perdre espoir de la protéger et même de la blâmer de se maintenir dans son état. L'aidant ne doit jamais abandonner la personne qu'il se propose d'aider : il doit être inspiré par ses limites à venir.

Ce qu'Henri (voir page 77), aveuglé par ses bonnes intentions, avait occulté dans son réflexe humaniste d'aider Claude, c'était la **complexité** de l'être humain, tant au niveau individuel que sur le plan interpersonnel, et les principes qui régissent cette complexité. Il n'y a pas de solution évidente. Ce n'est ni blanc ni noir. Nous sommes dans les zones de gris, et dans l'évaluation des risques inhérents aux solutions considérées dans le processus d'aide. Toute personne sollicitée pour aider un des siens ou pour régler un problème avec les siens doit se donner un temps de réflexion pour ne pas créer des attentes qu'elle ne pourra combler ultérieurement. Il ne faut pas abandonner l'autre à sa détresse, et souvent, il importe de demander de l'aide avec lui pour mieux planifier l'aide qu'on lui donnera. Rester sensible à la fois aux besoins de l'autre, à ses propres besoins et à ceux du groupe dans une perspective de processus d'entraide permet de suivre cette éthique de la réciprocité et d'éviter le protectionnisme.

Nous verrons dans la troisième partie ce qu'il ne faut plus faire et ce qu'il faut essayer dans les contextes suicidaires, entre autres, pour ainsi rester dans l'action réfléchie.

3e PARTIE

DES CHEMINS DE LA MORT VERS LES CHEMINS DE LA VIE

CHAPITRE 11

Ce qu'il ne faut plus faire/ ce qu'il faut essayer

Je remets habituellement la liste de la page suivante à mes patients et à leur famille lors de la première rencontre. C'est un outil pour le suicidaire et les siens, qui contient les valeurs et comportements qui découlent de l'éthique de la réciprocité et de l'adhésion à la Règle de respect de l'autonomie et de la vulnérabilité de chacun. Tout blâme (envers soi, envers les autres et de la part des autres) est exclu, et des temps de pause sont recommandés en cas de tensions pour permettre l'émergence d'une action réfléchie.

Je développe ensuite quelques-uns des 18 points qui s'entrecroisent avec des exemples pour faciliter l'adoption de ces nouveaux comportements par les membres du groupe, dans leur quotidien. Les directives aux points 14 et 15 au sujet des interactions fondées sur le mépris et le blâme doivent faire l'objet d'une entente d'interdiction dès la première rencontre afin d'amorcer la transition vers une culture de la non-violence.

Les chemins de la maladie et de la mort	**Les chemins de la vie et l'adhésion à l'éthique de la réciprocité**

CE QU'IL NE FAUT PLUS FAIRE	CE QU'IL FAUT ESSAYER
Au niveau individuel	
1. S'isoler dans la détresse. Voir p. 97	**1.** S'ouvrir aux autres dans les moments de détresse pour reprendre sa vie autrement. Voir p. 98
2. Ignorer que les idées déprimantes et les humeurs dépressives et anxieuses s'entretiennent mutuellement. Voir p. 100	**2.** Apprendre à méditer en pleine conscience pour vivre dans le présent, sans regretter le passé ni craindre le futur, bref, pour décider de ses pensées. Voir p. 100
3. Rester dans l'ignorance de la plasticité du cerveau, des principes de la communication, des contextes relationnels, de la récursivité et des finalités dans l'action. Voir p. 102	**3.** Miser sur la plasticité du cerveau : le cerveau peut toujours apprendre, et encore mieux dans un contexte favorable ; il se transforme à notre avantage si l'on décide des habitudes que l'on veut cesser. Voir p. 103
4. Agir sous le coup de l'émotion et de la colère. Voir p. 104	**4.** Se laisser informer par sa colère et gérer ses frustrations après réflexion. Voir p. 106
5. Ignorer la nature des chemins de la victimisation, de la maladie et de la mort, même à leur début. Voir p. 108	**5.** Stopper les habitudes malsaines et se maintenir dans les chemins de la vie et les processus de réorganisation. Voir p. 109

CE QU'IL NE FAUT PLUS FAIRE	CE QU'IL FAUT ESSAYER
Au niveau individuel	
6. Se résigner ou attendre que l'autre meure pour améliorer une situation. Voir p. 110	**6.** Reconnaître le problème et réfléchir aux solutions qui ne peuvent émerger qu'à partir des pertes potentielles ou réelles à accepter. Voir p. 111
7. Ruminer ses indignations et ses injustices, et refaire le passé avec des « j'aurais dû » ou en essayant de ne pas y penser. Voir p. 112	**7.** Pardonner est une décision que l'on prend pour mettre fin à ses humeurs rancunières et à ses idées noires. S'inspirer de ses « j'aurais dû » futurs plutôt que de sa colère pour faire ses choix. Voir p. 113
8. S'éterniser sur les « pourquoi » du problème, la cause initiale, pour le régler. Voir p. 114	**8.** Passer rapidement aux « comment vivre avec les autres » et régler à l'avenir les problèmes de façon à ne plus se coincer de la sorte ni s'enfoncer dans une telle détresse. Voir p. 115
9. S'épuiser et fonctionner sur ses réserves. Voir p. 116	**9.** Se rappeler qu'un être vivant doit refaire ses forces et même emmagasiner des réserves en cas d'efforts à donner pour sa survie ; c'est pourquoi l'on apprend à aimer ce que l'on fait, à vivre dans ce que l'on aime, et à en contrôler progressivement le rythme. Voir p. 117

CE QU'IL NE FAUT PLUS FAIRE	CE QU'IL FAUT ESSAYER
Au niveau interpersonnel	
10. S'enliser dans son rôle de sauveur (le système protectionniste) en se limitant à surprotéger la personne en danger ou en devenant soi-même une victime qui vit dans la peur. Voir p. 118	**10.** S'adresser à un tiers pour installer la règle de respect de l'autonomie et de la vulnérabilité de chacun dans la coopération et l'autoprotection, et adhérer à l'éthique de la réciprocité. Voir p. 120
11. Ignorer ou cacher les problèmes, ou se limiter à exclure les coupables. Voir p. 122	**11.** Un bon leader perçoit les problèmes et se préoccupe d'installer un processus où chacun contribue aux solutions. Voir p. 124
12. Imposer ses solutions ou s'en laisser imposer, ou encore rester sourd ou muet face à toute discussion concernant la situation en cause (voir « La roue de la victimisation », page 73). Voir p. 126	**12.** Apprendre à distinguer les systèmes fonctionnels des systèmes dysfonctionnels qui rendent les interventions inefficaces plutôt que de blâmer un acteur : la pomme pourrie tombera d'elle-même. Voir p. 127
13. Se penser en droit d'humilier l'autre, de le disqualifier, de le traiter injustement ou de l'attaquer pour se défendre. Voir p. 128	**13.** S'entendre préalablement sur la nécessité de faire une pause (*time-out*) en cas de tensions pour éviter les explosions émotionnelles désastreuses les uns contre les autres. Voir p. 129
14. Se blâmer, blâmer les autres ou se laisser blâmer. Voir p. 130	**14.** Reconnaître ses erreurs et en discuter sereinement sans honte ni culpabilité. Voir p. 130
15. Se laisser entraîner à camoufler des secrets qui nous exposent à nous renier ou à subir de futurs chantages. Voir p. 131	**15.** Miser sur l'honnêteté et sur une discrétion respectueuse des autres, et désamorcer tout risque de bombes à retardement. Voir p. 133

CE QU'IL NE FAUT PLUS FAIRE	CE QU'IL FAUT ESSAYER
Au niveau interpersonnel	
16. Forcer l'autre à acquiescer. Voir p. 134	**16.** Aimer et coopérer ne se traduisent plus par un « oui » à toutes les demandes. Voir p. 134
17. Se comparer aux autres, les envier, se sentir honteux ou coupable, s'excuser sans cesse de ses gestes. Voir p. 135	**17.** Avoir confiance en soi en acceptant de faire des erreurs sans se prendre soi-même pour une erreur ou pour une personne inférieure ; se donner un contexte d'essais et d'erreurs en concordance avec le choix de ses souffrances. Voir p. 136
18. Donner de plus en plus de preuves pour gagner la confiance de l'autre. Voir p. 137	**18.** Apprendre à risquer la confiance et s'attendre à ce que les autres la risquent avec nous. Voir p. 138

AU NIVEAU INDIVIDUEL

Ce qu'il ne faut plus faire *1. S'isoler dans la détresse.*

Dans les moments de désespoir, tout est permis pour mettre fin à sa souffrance, à l'injustice, à l'indignation. On se déresponsabilise de la violence de ses gestes en se disant victime des autres. Adolf Hitler, par exemple, a perdu toute humanité en s'isolant dans sa paranoïa, en réaction aux injustices qu'il a ressenties comme enfant et comme Allemand. Il y a ainsi un petit Hitler en chacun de nous. Comment s'en libérer ? Surtout pas en s'isolant. Cette idée d'éliminer Hitler en moi m'est venue après avoir vu le film *Le choix de Sophie* (*Sophie's Choice*)[67]. Le jeune soldat, déshumanisé, exige que Sophie fasse un choix impensable pour une mère : qui, entre sa fille et son fils, irait au camp de concentration. Le soldat a été contaminé par Hitler. Comment ne pas participer à cette épidémie déshumanisante dans sa propre vie ? Il vaut surtout mieux éviter de s'isoler dans sa détresse pour ne pas arriver à des solutions catastrophiques à la suite de blessures morales. Si on ne se tue pas, on peut perdre aussi toute humanité et s'engager pour de bon dans l'entonnoir des chemins de la mort, seul ou avec d'autres.

Une personne décide de se tuer lorsqu'elle est dans un tunnel suicidaire émotionnel ou lorsqu'elle a, depuis belle lurette, oublié les autres dans sa vie pour des raisons tout aussi valables les unes que les autres. Comment émerger du tunnel et s'assurer de ne plus jamais y retourner ?

LE CAMIONNEUR

Un camionneur en était venu à vouloir se tuer après avoir été la victime d'un automobiliste qui avait lancé son véhicule à toute allure contre son camion. Il avait vu dans le regard de l'homme qu'il savait ce qu'il faisait, que son geste était délibéré. Le camionneur lui en avait voulu terriblement sur le coup, et en même temps s'était senti coupable de lui en vouloir. C'est en essayant de comprendre le suicidé qu'il en est venu à imiter son geste, pour l'interrompre à la dernière minute en pensant à son semblable, le camionneur.

Les suicides par grappes et dans les familles peuvent provenir de la même **logique émotionnelle**. On peut prendre soin de sa souffrance en ignorant celle des autres ou en voulant comprendre la souffrance de l'autre, l'imiter dans son moyen violent. Heureusement, dans le cas du camionneur, la règle d'or de la réciprocité lui est revenue au dernier moment. Malheureusement, la personne qui s'était d'abord suicidée, pour sa part, s'était isolée dans la détresse pour se convaincre de la légitimité de son geste violent.

Ce qu'il faut essayer ***1. S'ouvrir aux autres dans les moments de détresse pour reprendre sa vie autrement.***

On imite les autres par réflexe, on change ses habitudes après réflexion. La mort est irréversible. La vie est pleine de rebondissements. Il n'est surtout pas nécessaire de se suicider pour en finir avec la vie qu'on mène. Banaliser son idée de suicide en se disant que ce n'était qu'une passade ou un moment désespéré n'est guère mieux.

Malheureusement, c'est ce qui survient trop souvent dans les milieux de la santé et dans les urgences psychiatriques où une personne en crise suicidaire a été amenée ou s'est présentée pour s'« ouvrir aux autres ». Si le patient dit qu'il n'est plus en danger et est perçu ainsi pour le moment, on ne saisit habituellement pas cette occasion pour réfléchir avec lui et les siens sur ce moyen violent d'en finir avec ses frustrations et ses souffrances, pour lui dans sa vie actuelle et pour les autres s'il se tuait. On vient de rater un moment clé de changement en attribuant l'idée du suicide uniquement à la maladie ou à un état d'intoxication. Apprendre de ses moments d'impuissance ce qu'il faut changer dans sa vie est essentiel si l'on veut éviter de se perdre de vue de nouveau.

On ne peut non plus se condamner à vivre sous prétexte qu'on peinerait les autres en se tuant. Cette approche est vouée à l'échec à plus ou moins long terme. On doit apprendre à vivre autrement à partir de ce qu'on ressent dans les moments les plus désespérés. « À quoi aurais-je mis fin si j'étais mort(e) maintenant ? » Cette réflexion peut entraîner bien des changements pour soi et pour les autres. En effet, la générosité de ne plus inquiéter les siens par son suicide et la décision d'apprendre à vivre autrement nous amènent à déranger par les changements que nous ferons dans notre vie.

Lorsque l'idée de suicide nous vient, il est important de réfléchir avec les nôtres et un tiers sur cette solution éventuelle. Si l'on convient qu'on n'aimerait pas que les personnes auxquelles on est attaché se donnent la mort, on ne peut pas se limiter à promettre de ne pas le faire. On doit se donner les moyens avec les autres pour ne plus le faire, soit réviser ses valeurs perfectionnistes et protectionnistes, par exemple, qui ne permettent aucune erreur ni autoprotection. On fait place aux imperfections, à l'essai et à l'erreur, et à la réorganisation de sa vie avec les autres dans une nouvelle règle de gestion de ses problèmes.

On reconnaît d'abord ce qu'on ne veut plus faire. Avec le temps, les pistes s'ouvrent dans la broussaille, et ce, grâce à la capacité d'émergence du cerveau.

Ce qu'il ne faut plus faire *2. Ignorer que les idées déprimantes et les humeurs dépressives et anxieuses s'entretiennent mutuellement.*

Il est bien connu que la thérapie cognitivo-comportementale augmente la durée des effets bénéfiques des antidépresseurs[68, 69]. Heureusement, car ceux-ci diminuent à mesure qu'augmente la quantité d'épisodes dépressifs. Bien sûr, une humeur dépressive et anxieuse favorise l'éclosion de pensées dépressives et anxieuses. La psychothérapie a pour objectif de changer ces idées dépressives et anxiogènes qu'on appelle aussi «distorsions cognitives»; par exemple, apprendre à ne plus généraliser: «Je ne suis pas une erreur parce que j'ai fait une ou des erreurs.» «Le mauvais sort ne s'acharne pas contre moi parce que deux malchances me sont tombées dessus.»

C'est le mauvais côté des humains que de vouloir tout prévoir, même en misant sur le suicide. C'est le bon côté des humains que d'être doués d'un cerveau qui peut se reprogrammer et devenir créateur si on lui en fait la commande. Donner à son cerveau l'information de l'essai d'une dernière chance si l'on ne réussit pas tel projet, c'est se donner une dernière chance rapidement.

Il ne s'agit pas ici de volonté, mais d'information **prioritaire** et de marge de manœuvre à donner à son cerveau. Une personne déprimée et fatiguée devrait penser repos et habitudes de remise en santé, plutôt que de planifier ses projets à partir de cet état d'épuisement.

Ce qu'il faut essayer *2. Apprendre à méditer en pleine conscience pour vivre dans le présent, sans regretter le passé ni craindre le futur, bref, pour décider de ses pensées.*

Le faiseur de malheur est dans sa tête

La méditation est devenue la nouvelle panacée de la psychologie, après la thérapie cognitivo-comportementale (TCC) qui a reçu ses lettres de noblesse scientifique au cours des vingt dernières années. La TCC vise à changer les pensées anxiogènes et dramatiques du déprimé et de l'anxieux en leur proposant une nouvelle perspective pour corriger leurs distorsions mentales. La méditation de pleine conscience, pour sa part, permet un arrêt de penser, tout simplement, afin de prioriser le moment présent toujours à risque d'être envahi par les ruminations du passé ou les anticipations du futur.

Que ce soit en élargissant le temps présent grâce à la méditation ou en réévaluant le sens d'une émotion avec l'aide du behavioriste, le sujet permet la connexion entre la voie haute, rationnelle, et la voie basse, émotionnelle, de son cerveau. Le sujet protège son autonomie grâce à l'une ou l'autre de ces méthodes plutôt que de se laisser subjuguer par ses émotions.

Un mot sur ces deux voies, fort bien décrites dans le livre de Daniel Goleman, *Cultiver l'intelligence relationnelle*[70]. On peut lire à la page 35: « On peut imaginer que la route basse est "humide", dégoulinante d'émotions, tandis que la haute est "sèche", froidement rationnelle. La route basse s'occupe d'émotions brutes, la haute, de comprendre ce qui se passe. La route basse nous donne une sensation immédiate de l'autre personne, la haute pour réfléchir à ce que nous ressentons. Normalement, elles s'entendent fort bien. Notre vie sociale est gouvernée par le jeu de ces deux modes. »

La personne peut se faire sa propre idée de la situation sans se laisser dicter une façon de penser par le behavioriste. Déjà, en permettant la connexion entre les deux voies, elle peut mettre un espace entre son humeur déprimée et les pensées déprimantes qui l'accompagnent, ce qui lui donne le temps de choisir ses pensées plutôt que de se laisser contrôler par elles. Avec un tel recul, elle peut développer son habileté relationnelle et se donner un contexte favorable pour le respect de son autonomie. En intégrant le rationnel et l'émotionnel, l'humain en arrive à développer des valeurs humanistes qui lui permettent de protéger ses territoires tout en vivant avec les autres. C'est ce que la personne embourbée dans sa maladie mentale ne parvient pas à faire. La maladie mentale est une vraie maladie, mais elle prend souvent ses origines dans le vécu du malade et dans sa façon de le concevoir, sans parvenir à avoir du recul sur ce vécu.

Pour arriver à s'arrêter et à prendre du recul, encore faut-il s'astreindre régulièrement à méditer. Un cerveau sain est un cerveau qui peut s'inhiber et choisir entre les différents stimuli qui l'assaillent. Le cerveau est comme un muscle, il faut le maintenir en forme.

Pour vivre dans le présent sans regretter le passé ni craindre le futur, il faut remplir plusieurs conditions, dont celles de ne pas avoir une double vie, et d'être quelque peu détaché des pertes et des gains que l'action entraîne, pour entretenir ses passions dans les projets qui nous tiennent à cœur.

Ce qu'il ne faut plus faire *3. Rester dans l'ignorance de la plasticité du cerveau, des principes de la communication, des contextes relationnels, de la récursivité et des finalités dans l'action.*

Lorsque j'ai fait mon cours de médecine à la fin des années 1960, on nous enseignait que le cerveau était immuable. Qu'une cellule endommagée ne pouvait se remplacer. Depuis les années 1990, avec l'introduction dans nos laboratoires d'appareils radiologiques de plus en plus raffinés à même de détecter les changements et le fonctionnement du cerveau, le concept de neuroplasticité a été intégré pour de bon à nos connaissances scientifiques. Certes, il n'en reste pas moins qu'un jeune cerveau peut se régénérer et développer de nouveaux circuits plus facilement (jusqu'à l'âge de 30 ans[71]), mais l'on n'est jamais trop vieux pour apprendre, surtout si l'apprentissage d'une fonction ou d'un moyen peut faire une différence réelle dans notre qualité de vie. Je pense ici, comme psychiatre, à l'apprentissage de la méditation de pleine conscience pour ne plus déprimer[72].

La pratique de la méditation nous permet, lors d'une vive émotion, de nous arrêter pour permettre la connexion avec la voie haute et d'agir en toute connaissance de cause, soit dans les secondes qui suivent, soit plus tard si l'on juge qu'il le vaut mieux sur le plan émotionnel. Les fameuses huit heures stratégiques (voir chapitre 4, page 30) du geste suicidaire signifient que la personne a agi sur le coup d'une émotion, sans accès à sa voie haute.

Pour les besoins de la cause, les principes de la communication, que l'on peut consulter en annexe (voir « Axiomes de la communication », page 177), peuvent se résumer à ceci : pour qu'une communication soit efficace, il faut y intégrer ce que nous sommes en tant que personnes et le rôle qui nous revient dans l'interaction actuelle : être empathique, vibrer avec l'autre personne et la confirmer dans son autonomie, tout en évitant de perdre de vue la sauvegarde de sa propre autonomie ainsi que les divers rôles et missions dans lesquels on est impliqué.

Ignorer les contextes relationnels fait de nous des guerriers qui luttent contre des moulins à vent. Ignorer, par exemple, l'origine du pouvoir de l'enfant-roi nous fait condamner cet enfant à un sort malheureux plutôt que d'intervenir dans le contexte qui ferait de nous tous des gens affables et intelligents (émotionnellement et rationnellement).

Ignorer le phénomène de la récursivité risque de nous faire dériver dans le modèle autoritaire rigide de la carotte et du bâton, et de faire de nous des sauveurs souffrants, si bien que nous surcompenserons pour les erreurs de nos sujets qui agissent en robots, ne pensent plus, bref, **qui sont devenus des pieds puisque nous sommes devenus leur tête**. La récursivité, c'est l'auto-organisation de l'être autonome qui à la fois se transforme selon son contexte et cherche à garder sa permanence tout en changeant.

L'effet agit sur la cause, le produit sur la production, et le tout évolue en spirale qui s'éloigne progressivement de son centre. Notre identité est ainsi confirmée dans nos rôles de sauveurs protecteurs par nos protégés sauvés, en nous éloignant de plus en plus de notre point de départ dans cette dérive jusqu'à nous faire sentir autres. « Je me suis perdu de vue dans cette relation, dans cette recherche du succès ou dans cette consommation de plus en plus excessive de drogue. » « Je me suis tenu dans un groupe qui m'a littéralement détruit. » « Si je peux le dire, c'est que je suis encore là, mais je n'ai pas pris le temps de m'arrêter pour donner la direction que je souhaitais à mon développement, à ma relation. J'ai subi le syndrome de la grenouille (voir page 63). »

Ce qu'il est aussi dangereux d'ignorer, c'est la nature du moyen utilisé pour atteindre un but. Ce n'est pas grâce à la haine que l'on met fin aux rapports haineux. Agir par réflexe nous fait, la plupart du temps, nous maintenir dans ce à quoi nous aimerions mettre fin. Un moment de réflexion nous permet de choisir des moyens plus appropriés.

Ce qu'il faut essayer *3. Miser sur la plasticité du cerveau : le cerveau peut toujours apprendre, et encore mieux dans un contexte favorable ; il se transforme à notre avantage si l'on décide des habitudes que l'on veut cesser.*

On peut profiter de la neuroplasticité de son cerveau pour en arriver à une vie meilleure chez soi, autour de soi, dans la société et le monde dont on fait partie, plutôt que de s'engouffrer de plus en plus dans les chemins de la mort. Nous devons alors à la fois nous donner un contexte nous permettant de créer et décider du groupe dans lequel nous voulons continuer d'évoluer, un groupe sans violence si nous voulons rester humains et en bonne santé.

On ne peut se protéger qu'avec les moyens adéquats dans le genre de groupe auquel on appartient. Inutile de proposer des moyens non violents aux membres de la mafia. Ce serait nier leur appartenance à ce groupe. On ne saurait aspirer à vivre sans violence dans nos familles si la culture de notre famille autorisait les moyens violents.

Arwen Faulkner[73] n'avait connu que la violence depuis son plus jeune âge. Elle avait été violée adolescente et s'en prenait à elle-même pour avoir été au mauvais endroit au mauvais moment. Quand elle put donner une direction à sa vie, elle a continué à être la victime de tous les hommes qu'elle rencontrait. Elle s'est mariée pour enfin être protégée. Elle s'est retrouvée en sang au poste de police. Les agents ne pouvaient croire qu'elle était à nouveau victime d'une agression. Arwen n'en pouvait plus de cette vie, jusqu'à ce qu'elle réalise qu'elle pouvait mettre fin à ces habitudes grâce à la neuroplasticité de son cerveau. Elle pouvait former de nouveaux chemins neuronaux. Elle a appris à ne plus miser sur une autre personne pour la protéger, mais sur la réorganisation de son cerveau pour mieux choisir ses compagnons. Elle en donnait un vibrant témoignage tout récemment dans un essai journalistique intitulé *En changeant mon cerveau* (*Changing my brain*).

Arwen a réussi à prendre conscience que son cerveau pouvait lui être beaucoup plus utile, en réfléchissant sur ce qu'elle ne voulait plus répéter plutôt que de répéter par réflexe des habitudes autodestructrices. En s'entourant mieux, elle pouvait continuer à apprendre, ce qui lui apportait beaucoup plus de satisfaction.

Ce qu'il ne faut plus faire *4. Agir sous le coup de l'émotion et de la colère.*

Agir sous le coup d'une émotion nous fait ignorer la complexité d'une situation. L'être humain est un être émotionnel, mais aussi rationnel. Ne pas prendre le temps de réfléchir aux émotions qu'il faut éviter d'entretenir ni aux contextes favorables qui permettent de contrôler ses émotions, conduit aux chemins de la mort. En vouloir à une personne et se laisser aller à la haine ne peut que suggérer des solutions violentes pour soulager sa rancune.

Curieusement, « tomber amoureux », l'émotion positive qui devrait être la plus recherchée, peut créer un état similaire à bien des égards à celui dans lequel se trouve une personne souffrant de psychose aiguë ou sous l'effet d'une forte émotion. L'amoureux est subjugué, obsédé par son amour. Il ne parvient plus à accéder à sa raison pour voir l'ensemble de la situation. Cet état vient à passer si cet amour s'avère impossible. Mais si l'amoureux pense le moindrement qu'il peut y avoir réalisation de l'union avec l'être aimé, il fera tout pour en arriver là. C'est de l'ordre de l'obsession, de la dépendance à la drogue, au jeu pathologique. Lutter contre un tel sentiment d'amour n'est pas possible. Il faut tout simplement l'accepter et se poser la question : « Est-ce que je peux me permettre de tout perdre pour cette personne ? » C'est ce qu'Anna Karénine[74] n'a pas fait ; lorsque son amoureux s'est éloigné d'elle pour s'intéresser à une autre, la douleur l'a poussée à la drogue, puis à en finir en se jetant sous les roues d'un train.

À éviter encore : le fait de ne pas reconnaître qu'un problème d'obsession, de dépendance à la drogue ou au jeu, ou de troubles du comportement alimentaires comporte les mêmes risques de mort et de victimisation.

Ulysse a demandé à ses matelots de l'attacher au mât du navire pour éviter de se laisser séduire par le chant des sirènes. Rationnellement, il savait que « le cœur a ses raisons que la raison ne connaît point ». Malgré ses bonnes intentions, il aurait pu se laisser convaincre, sur le moment, de prendre un chemin mortel qui avait toutes les apparences du bonheur. Il comprenait la nature de l'être humain et l'immédiateté de ses réactions.

La personne qui s'intéresse à l'être humain et qui ne se limite plus à l'angéliser ou à le diaboliser, à le classer comme bon ou méchant, découvre rapidement que l'être humain est un être émotionnel et contextuel, visant surtout dans l'action à sauver son identité de personne intègre. Ulysse avait décidé lui-même qu'on l'empêche de commettre le geste fatal. C'était sa façon d'assurer son intégrité d'être humain autonome et responsable, sans se faire qualifier de malade ou de pervers, et d'éviter de se faire avoir par sa nature d'être humain.

Reconnaître les sirènes qui peuvent nous prendre notre vie est aussi important que de reconnaître les talents qui sont en nous et qui peuvent nous ouvrir tant de chemins de vie.

Ce qu'il faut essayer *4. Se laisser informer par sa colère et gérer ses frustrations après réflexion.*

La colère est une émotion essentielle pour protéger son territoire. Ne plus en ressentir pourrait signifier que nous sommes devenus des morts vivants. Ce serait comme avoir perdu l'innervation cutanée essentielle à la protection de l'intégrité de notre corps. La perte de sensibilité au niveau des doigts, par exemple, entraînerait rapidement leur amputation progressive.

Lorsqu'il est question d'idées suicidaires, il n'y a rien de plus risqué que de devenir un tapis pour l'autre. Philippe Besson[75] a écrit un livre sur le suicide d'une « femme tapis », intitulé *Une bonne raison de se tuer.* C'était une femme qui s'était fondue, était disparue dans les autres. Elle avait laissé cette note laconique : « Excusez-moi, je n'avais rien d'autre à faire », à la façon de Bertrand (voir page 48).

Dans le passé, on désignait la mélancolie de la femme ménopausée par l'expression « syndrome du nid vide » (*empty nest,* ou *emptiness*). La femme devait se limiter à être définie par les autres[76]. C'était l'époque du double standard. Une femme idéale était la personne qui s'effaçait, alors que l'homme idéal était la personne qui s'affirmait. Au XXIe siècle, l'identité de la femme rejoint celle de l'homme. Hommes ou femmes qui s'empêchent de vivre pour se conformer uniquement aux normes sociales ressentent avec l'âge cette amertume envahissante qu'on peut appeler, en effet, mélancolie, faite de sentiments d'avoir été exploités, utilisés par les autres et d'avoir saboté leur propre vie. Le premier geste d'affirmation de ces personnes pourrait être la tentative de suicide. Elles tentent de mettre fin à leur vie actuelle par leur geste désespéré tout en misant, espérons-le, inconsciemment sur une autre vie, de l'autre côté de leur tentative.

Si ces personnes survivent à leur tentative de suicide, ce n'est pas pour se faire dire qu'il y a encore quelque chose de bon pour elles dans la vie telle qu'elles l'ont connue. Elles doivent commencer une nouvelle vie, hors des circuits désespérants de la honte et de la culpabilité. Elles doivent risquer la frustration de décevoir pour exister enfin et ne plus s'obliger à quémander la permission d'exister. Elles doivent utiliser leur colère non pas pour ruminer contre les autres ou pour se faire valoir, mais pour prendre tout simplement leur place en acceptant de déranger. On ne peut pas bien vivre sans son intégrité ; un esclave, par exemple, aura généralement une courte vie. Reconnaître sa colère permet de gérer ses frustrations autrement pour commencer cette nouvelle vie. L'autre vie est terminée.

L'erreur, c'est d'agir sous le coup de la colère, plutôt que de manifester sa colère après l'avoir planifiée. Lorsque Krouchtchev a frappé la table de son soulier pour manifester sa réprobation, il l'avait probablement voulu ainsi, espérons-le du moins. Informé par sa colère, on se donne le temps de reconnaître sa frustration, de façon à agir efficacement pour changer la donne, pour se réorganiser avec les autres à partir de ses limites.

L'EMPLOYÉE VICTIME

Une patiente suicidaire pleurait en me disant que sa patronne lui demandait d'effectuer une tâche qu'elle trouvait non légitime. Je l'ai arrêtée et lui ai demandé de me dire ces choses d'une façon plus factuelle, puis de faire la même chose au travail afin de ne pas être traitée en victime par sa patronne ; de prendre un ton de femme d'affaires pour en finir avec son indignation et d'évaluer enfin ses limites possibles.

Comment à la fois distinguer les limites de cette femme, liées à ses problèmes anxieux et obsessionnels, et le rendement qu'elle pourrait donner sans cette réaction de victime ? Elle avait certes besoin qu'un médecin soit impliqué pour statuer sur la permanence ou non de ces limites, mais elle devait s'exercer à sortir de sa position de victime avec les outils acquis en thérapie cognitivo-comportementale. Il est possible que sa patronne soit devenue sadique face à ses comportements de victime, mais cette patronne doit se rappeler que le travailleur peut maintenant être reconnu dans ses limites liées à un handicap sans risquer de perdre son emploi. Et l'employée doit apprendre à parler de ses limites sans risquer de susciter le sadisme chez l'autre.

Pour une personne qui a déjà pensé au suicide ou fait une tentative sous le coup d'une impulsion, il est bon de réfléchir sur les conséquences du suicide dans son entourage et la place accordée au suicide dans son milieu pour sortir d'une situation désespérée. Si cette réflexion n'est pas faite, quand viendra une situation désespérée, elle risquera d'agir sous le coup de l'impulsion pour passer à l'acte en quelques minutes.

Ce qu'il ne faut plus faire **5.** ***Ignorer la nature des chemins de la victimisation, de la maladie et de la mort, même à leur début.***

Ces chemins de la victimisation, de la maladie et de la mort font partie du syndrome de la grenouille. Ils commencent lorsqu'il n'y paraît rien. La grenouille évolue agréablement dans l'eau froide où elle mourra ébouillantée, car elle n'a pas observé le changement, lent et progressif, de la température. On peut ne pas voir les petites différences d'un changement, alors qu'il est toujours plus facile d'en observer la direction. Les statisticiens savent bien le faire avec leurs tableaux.

Le confort de la prison peut nous faire oublier que les issues se ferment de plus en plus. Les plans B disparaissent. On ne sait plus perdre. On craint d'être la risée des autres en tentant de sortir. Son identité ne tient plus qu'à la prison dans laquelle on évolue.

Le confort initial de la prison n'aurait pas eu son effet si l'on avait su qu'il y a des souffrances des deux côtés du mur, à l'intérieur comme à l'extérieur. Il convient donc de choisir le genre de souffrances que l'on peut tolérer, plutôt que de croire qu'il y a des lieux sans souffrance. C'est déjà se faire avoir par nos peurs que de viser à éviter toute souffrance. À mon avis, il y a deux groupes de souffrances : les souffrances de l'étouffement et les souffrances de l'arrachement. On risque à coup sûr de s'étouffer et de perdre son estime de soi à vouloir tout sauver et à ne pas risquer de perdre ; on vivra à coup sûr des douleurs d'arrachement en se lançant dans les projets que l'on s'en voudrait plus tard de ne pas avoir essayés. On constate qu'après avoir réfléchi sur ces deux groupes de souffrances, les gens choisissent les douleurs de l'arrachement, à la façon du loup dans la fable de La Fontaine, *Le chien et le loup*, dont voici la fin :

> Le Loup déjà se forge une félicité
> Qui le fait pleurer de tendresse.
> Chemin faisant, il vit le col du Chien pelé.
> « Qu'est-ce là ? lui dit-il. – Rien. – Quoi ? Rien ? – Peu de chose.
> – Mais encor ? – Le collier dont je suis attaché

De ce que vous voyez est peut-être la cause.
– Attaché ? dit le Loup : vous ne courez donc pas
Où vous voulez ? – Pas toujours ; mais qu'importe ?
– Il importe si bien, que de tous vos repas
Je ne veux en aucune sorte,
Et ne voudrais pas même à ce prix un trésor. »
Cela dit, maître Loup s'enfuit, et court encor.

L'intimidation dans les rapports amoureux peut se manifester par des menaces de suicide visant à retenir la personne aimée. Trop nombreuses sont les personnes qui confondent l'intensité de l'amour avec l'emprisonnement de la personne aimée. Dans les rapports sains, les protagonistes savent bien qu'ils ne peuvent retenir l'autre ; ils ne peuvent que continuer à se choisir. **Perdre l'être aimé est douloureux, le retenir est venimeux.**

Ce qu'il faut essayer *5. Stopper les habitudes malsaines et se maintenir dans les chemins de la vie et les processus de réorganisation.* L'humain apprend par essais et erreurs. Il doit avant tout délimiter son territoire d'essais, en sachant où il ne faut pas aller pour éviter de se condamner à ne plus essayer. Toujours essayer, ne jamais se résigner. S'ouvrir de plus en plus de chemins, plutôt que de s'engouffrer dans un cul-de-sac dont on ne peut sortir sans tout faire exploser. Ne plus se résigner à l'inacceptable en misant sur quelque *deus ex machina* pour s'en sortir. Il n'est pas rare d'entendre une personne suicidaire dire : « Quelque chose devait, doit arriver. »

Les habitudes sont malsaines quand les choix s'amenuisent et qu'on en vient à se sentir dans un cul-de-sac. Norman Doidge[77], dans son livre *Les étonnants pouvoirs de transformation du cerveau*, relate l'histoire de cet homme de 68 ans qui a souffert d'une hémiplégie à la suite d'un AVC. À son retour chez lui, son fils lui fit remarquer qu'à sa naissance, il ne marchait pas. Pourquoi ne réapprendrait-il pas à le faire en partant de rien ? Un an plus tard, l'homme remarchait. Il avait repris ses activités habituelles. À son décès plusieurs années plus tard, on a fait l'autopsie de son cerveau. On a pu constater la cicatrice qu'y avait laissée l'AVC, mais aussi les nouveaux chemins qui s'étaient créés à partir de la réadaptation à la marche.

Cette histoire constitue bien sûr une preuve de la neuroplasticité du cerveau. La leçon à en tirer: il est important de bloquer les chemins des habitudes malsaines, à l'instar d'un AVC, pour se permettre de créer de nouveaux circuits neuronaux à l'aide de ses nouvelles habitudes. On n'aura plus à miser sur sa volonté, mais plutôt sur ces nouveaux modèles neuronaux qui se formeront dans nos cerveaux quand on aura délaissé le blâme pour adopter ce nouveau terrain d'apprentissage. Ces nouveaux modèles ne peuvent pas se former lorsqu'on s'en veut ou qu'on en veut à d'autres, quand on se sent forcé d'apprendre.

Ce qu'il ne faut plus faire ***6. Se résigner ou attendre que l'autre meure pour améliorer une situation.***

On risque de mourir avant l'autre ou de devenir malade dans l'attente de sa mort!

JULIETTE

Juliette s'était mariée dans la jeune vingtaine et avait eu cinq enfants. Elle a appris que son mari avait une maîtresse, et qu'il en avait eu plus d'une, alors que leur cadet avait 16 ans. Elle n'avait jamais travaillé à l'extérieur de chez elle et ne se voyait pas quitter sa magnifique maison pour aller vivre en appartement. Les hommes dans la famille de son mari ne vivaient pas vieux. Elle persistait à vouloir sauver l'illusion du bonheur familial pour ses enfants et s'isolait dans son amertume. Malheureusement, elle est devenue très déprimée, au point où elle a dû être hospitalisée pendant près d'un an. Elle n'était plus capable de décider pour elle-même, si bien que son mari a pu vendre la maison sans son consentement.

Une nouvelle médication antidépressive a alors fait son effet. Juliette s'est sentie libérée en réalisant qu'elle n'avait plus à retourner dans sa maison de banlieue. Elle s'est mise à tout réorganiser. Elle a loué deux appartements contigus et a fait comme si elle était encore mariée. Son mari est décédé, mais elle n'attendait plus ce départ. Elle a traversé par la suite plusieurs épreuves sans plus jamais retomber dans un état dépressif.

Il ne faut plus ignorer les stratégies de transformation d'un contexte pour changer les obligations qu'on s'est imposées en surcompensant. Juliette et son mari s'étaient enfermés dans une prison dont ils n'avaient plus la clé. La maladie de Juliette les a enfin libérés. Juliette aurait pu planifier des changements en se rappelant qu'il est impossible de durer dans une situation qui nous apparaît inacceptable. Mieux vaut planifier le changement en diminuant les dégâts, plutôt que de miser sur l'explosion ou la maladie, deux phénomènes trop souvent incontrôlables.

Ce qu'il faut essayer ***6. Reconnaître le problème et réfléchir aux solutions qui ne peuvent émerger qu'à partir des pertes potentielles ou réelles à accepter.***

Il est bon de sortir de son isolement autrement que par la maladie, un accident ou une tentative de suicide. On veillera à maintenir un réseau d'amis avec lesquels on peut parler tant de ses échecs que de ses succès. Trop souvent, les amis entre eux parlent uniquement de leurs succès pour se faire valoir. Il est dangereux d'évoluer dans un tel cercle d'amis. Ou encore, on se croit obligé de consulter un professionnel de la santé pour parler de ses déboires et de ses échecs. Oui, mieux vaut en parler à une personne sous le secret professionnel si on a longtemps dû cacher des réalités que personne d'autre ne devrait connaître. Avec le temps, on apprend à ne plus se coincer dans de tels culs-de-sac et à aborder ses problèmes pour les résoudre à mesure qu'ils surviennent.

Pour accéder à un nouvel équilibre, il est bon de:

- *se tenir, au fil de ses essais et erreurs, dans les zones où les droits de la personne et les lois sont respectés, pour réfléchir même à voix haute à ses problèmes interpersonnels;*
- *s'ouvrir à des possibilités de solutions plutôt que de se maintenir dans des sentiments d'injustice ou de colère;*
- *lâcher prise sur ce qui ne fonctionne plus, plutôt que d'essayer de le faire durer par peur de trop perdre;*
- *pratiquer la méditation de pleine conscience et faire confiance à son cerveau. Sans colère, l'indignation passée, il saura trouver les bonnes ouvertures. La pire des options, c'est de se rendre malade ou de régler le problème par des moyens violents, dont le suicide.*

Ce qu'il ne faut plus faire *7. Ruminer ses indignations et ses injustices, et refaire le passé avec des « j'aurais dû » ou en essayant de ne pas y penser.*

Rien de plus commun que de revenir sur ce qui a été inacceptable dans sa vie.

Les « j'aurais dû » répétitifs maintiennent la personne indignée dans des cercles de réflexion sans issue, bref, dans des ruminations.

Dans les états de stress post-traumatiques, l'émotion liée au traumatisme contamine l'univers émotionnel de la personne traumatisée qui tente sans cesse soit **d'éviter** de se remémorer l'événement, soit de le refaire à l'aide de ses « j'aurais dû » de plus en plus irrésistibles qui ne font que l'amener à revivre le traumatisme qu'elle tente en premier lieu d'éviter. Les deux méthodes non seulement sont vouées à l'échec, mais contribuent à créer encore plus de dégâts chez le sujet déjà traumatisé qui aurait avantage à panser ses plaies en acceptant tout d'abord de les avoir, ces plaies saignantes.

Plusieurs diront qu'ils ne peuvent tout simplement pas s'empêcher de revivre l'événement.

Un événement traumatique attribuable à des causes hors de son contrôle, comme une catastrophe naturelle, peut laisser moins de séquelles pour deux raisons : les blessures sont reconnues, et le processus de guérison est encouragé dans des conditions habituellement plus favorables.

Un événement traumatique lié à une possible erreur humaine, de sa part ou de celle d'un autre, exige une attention particulière en ce sens qu'il peut détruire la personne ordinaire par la persistance de ses sentiments d'indignation et d'injustice. Cette personne traumatisée doit apprendre à devenir plus **sage** que la moyenne pour reprendre le cours de la vie en intégrant cet événement, avec l'aide de son entourage et des professionnels de la santé.

Il n'y a pas que des traumatismes qui peuvent nous maintenir dans des culs-de-sac mortels. Toutes les blessures non ou mal cicatrisées de l'enfance nous entraînent dans les chemins de la victimisation, de la maladie et de la mort, à moins que l'on n'apprenne à pardonner et à accepter son passé.

Ce qu'il faut essayer *7. Pardonner est une décision que l'on prend pour mettre fin à ses humeurs rancunières et à ses idées noires. S'inspirer de ses «j'aurais dû» futurs plutôt que de sa colère pour faire ses choix.*

On ne doit pas accepter l'inacceptable qu'on peut encore changer; on accepte ce qui est irréparable.

Le mot «pardonner» a bien des sens et suscite bien des points de vue, en accord ou en désaccord avec cette pensée, ce geste, ce processus que représente le fait de pardonner.

Dans son sens biblique, pardonner peut signifier tendre l'autre joue, de même que pardonner à ses frères qui regrettent leur geste de trahison – comme Joseph l'a fait (Genèse 45:1-28). Tendre l'autre joue dans les rapports interpersonnels signifierait accepter des rapports de violence. Pardonner sans le remords du coupable serait encourager le mal.

La faute doit-elle être reconnue par son auteur pour qu'il y ait pardon?

On me demande à l'occasion comment je fais pour traiter, par exemple, un criminel ou un père incestueux. Je peux le faire facilement si nous partageons les mêmes valeurs. Par ailleurs, si cette personne essaie de justifier son geste en évoquant sa maladie ou son passé difficile plutôt que de reconnaître en tout premier lieu son erreur criminelle, il m'est impossible de continuer les rencontres. Si cette personne me consulte afin de se donner les outils pour ne plus en arriver, ni de près ni de loin, à de tels gestes et si elle s'inquiète pour la ou les personnes qu'elle a pu léser, elle est la bienvenue.

En fait, on ne pardonne pas à l'autre; on accepte l'irréparable et les pertes qui en ont découlé, et on s'assure que ces actes ne puissent se répéter dans le futur. On ne reste pas dans la colère, car elle consume celui qui la porte, qu'elle soit justifiée ou non. Le «je me souviens» laconique sur les plaques d'immatriculation et les armoiries du Québec peut être interprété de plusieurs façons, allant de la reconnaissance de la richesse de son histoire à l'esprit de vengeance d'un peuple qui a perdu la bataille des plaines d'Abraham.

Les « j'aurais dû » futurs

Une mère me téléphone pour savoir ce qu'elle doit faire alors que son fils vient de lui laisser un message de désespoir pour la énième fois. « S'il arrivait quelque chose de désastreux à votre fils, vous diriez-vous : "J'aurais bien dû y aller" ? Allez dans le sens de votre réponse et, par la suite, nous pourrions nous rencontrer tous les trois pour réfléchir avec votre fils comment il pourrait voir à sa détresse autrement. »

Les « j'aurais dû » futurs sont toujours appropriés devant l'imprévisibilité tant du suicidaire que de la vie. Devant une décision difficile à prendre, on peut se demander si plus tard on s'en voudrait de ne pas avoir risqué cet autre chemin intéressant qui nous sort quelque peu de notre zone de confort, plutôt que de continuer dans celui auquel on est habitué. Comme on l'a vu, la colère n'est jamais une bonne inspiratrice, mais la décision de voir à ses propres frustrations plutôt que croire que les autres devraient y voir ou y verront est toujours porteuse de choix heureux.

Ce qu'il ne faut plus faire *8. S'éterniser sur les « pourquoi » du problème, la cause initiale, pour le régler.*

En médecine, on s'intéresse avant tout à la cause de la maladie pour en traiter les manifestations : éliminons la bactérie à l'aide d'antibiotiques pour mettre fin à la pneumonie. C'est le modèle scientifique de cause à effet. Il n'y a pas de retour de l'effet sur la cause. Quand il s'agit de la maladie mentale et du suicide, rechercher le pourquoi peut nous détourner de la recherche d'une façon d'accepter ses pertes et de se réorganiser avec les autres sans amertume – le « comment ».

En ce qui a trait au suicide, il ne s'agit pas d'ignorer ou de juger le pourquoi de la détresse du suicidaire ; elle est fondée puisqu'il la ressent ainsi : ce serait lui manquer de respect que de lui prouver qu'il s'en fait pour rien. Mais s'en tenir au pourquoi ne l'amène pas nécessairement à se demander comment vivre sans solutions suicidaires et à réfléchir aux conséquences du suicide dans une famille et une communauté. Dans son tunnel suicidaire, il ne voit que la raison pour laquelle il doit se tuer, le « pourquoi ».

On ne s'empêche pas de se tuer, on apprend à mieux vivre. Il est évident qu'une personne suicidaire qui a fait le vide complet autour d'elle doit être amenée à voir qu'il n'y a pas de survie sans réseau. Se limiter au pourquoi serait alors là plus dangereux.

Ce qu'il faut essayer ***8. Passer rapidement aux « comment vivre avec les autres » et régler à l'avenir les problèmes de façon à ne plus se coincer de la sorte ni s'enfoncer dans une telle détresse.***

Lorsqu'on pense suicide, c'est que notre mode de vie et nos choix de vie sont à réévaluer. L'être autonome qu'est l'humain ne peut plus penser vivre seul. Comme le loup, il a besoin de sa meute. Encore mieux que le loup, cependant, il peut apprendre à maîtriser la syntaxe de la communication pour s'assurer de son identité de personne valable en sauvegardant son autonomie sans se condamner à une vie errante.

Il faut changer la règle relationnelle qui prévaut dans son entourage pour celle du respect de l'autonomie dans la coopération, l'autoprotection et l'éthique de la réciprocité. Nous ne saurions trop répéter que la pierre angulaire des bons rapports est celle du choix de son groupe et de la nécessité de s'entendre sur la façon de gérer ses problèmes autrement que dans le blâme. Jean-Jacques Rousseau considérait que la chance de devenir un adulte était de pouvoir choisir sa famille. Une nouvelle famille est aussi une nouvelle règle relationnelle parmi les siens.

NATHALIE ET GÉRARD

Nathalie, psychologue, n'avait pas fait de tentative de suicide, mais, dans des moments de révolte, elle voulait tout faire exploser. Elle n'en pouvait plus de son mari « commandeur ». Elle lui propose lors d'un moment de répit d'aller ensemble consulter un tiers. Gérard veut et ne veut pas. Il demande ce qu'ils diraient au thérapeute.

– Je pourrais lui dire, suggère Nathalie, que nous avons une très mauvaise méthode pour régler nos différends. Lorsque tu deviens de mauvaise humeur, tu m'en attribues toujours la cause. Tu me dis : « Je me suis levé de bonne humeur et voilà que tu gâches ma journée », au lieu de parler de la frustration qui te rend en colère.

– Comment voudrais-tu que je te le dise ? Tu viens de me dire d'aller faire les courses alors que je n'en ai pas du tout envie.

– Je pourrais alors dire : « Qu'aimerais-tu manger ce soir ? » Et nous pourrions penser à répartir les tâches...

Nathalie et Gérard venaient de découvrir le **tiers virtuel**. Ils ont progressivement intégré la règle de respect entre eux, se sont interdit tout blâme envers soi, envers l'autre, et de part et d'autre. Ils ont adopté la méditation de pleine conscience, tant pour partager des plaisirs que pour prendre un moment de répit en observant leur respiration en cas de tensions.

Ce qu'il ne faut plus faire ***9. S'épuiser et fonctionner sur ses réserves.***

GABRIELLE

« Je me donnais à 150 % et ma patronne ne s'en rendait pas compte », me disait Gabrielle lors de son hospitalisation au service de psychiatrie pour le traitement de sa dépression qui avait entraîné une tentative de suicide. « Ma patronne protégeait Karine qui disait avoir mal au dos et c'est moi qui devais faire la majeure partie du travail. J'en suis tombée malade. » Gabrielle ne travaillait plus depuis un an, et l'expert qui l'avait évaluée récemment avait donné une opinion contraire à celle du médecin de Gabrielle. Il l'avait trouvée apte à retourner au travail au cours du même mois. Gabrielle était au comble de l'indignation et avait avalé toutes ses pilules. Elle ne pouvait croire que l'expert n'ait pas vu l'injustice qui la maintenait malade, alors qu'elle ne réalisait pas que le mandat qu'on donne à l'expert n'est que de statuer sur la pathologie elle-même. Régler un problème relève d'une autre expertise et d'un autre mandat, et ni Gabrielle ni l'expert n'étaient en position d'aborder autrement le problème. Gabrielle a explosé.

On s'épuise à détester ce qu'on fait et à le faire à contrecœur. On s'épuise à ruminer sa colère concernant les injustices et les fautes passées, plutôt que de choisir la cause qu'on veut défendre ou d'évaluer les risques que l'on veut prendre. On s'épuise à voir comme des dangers toutes ses peurs, plutôt que d'apprendre à relier de plus en plus la route basse de ses émotions à la route haute de sa raison par la pratique de la méditation de pleine conscience ou autre approche similaire. Stopper le réflexe de considérer comme un danger réel chacune de nos peurs, sans tomber dans la témérité de ne plus évaluer le danger et les risques de ses actions, relève d'un processus de réflexion et d'établissement de nouvelles habitudes.

Bien des étudiants ont appris à donner un dernier effort avant leurs examens. Lorsqu'ils entrent sur le marché du travail, ils n'ont pas changé leur méthode. Ils se croient toujours capables d'accéder à ces ressources énergétiques que leur jeunesse leur apportait, et ils oublient d'apprendre à renouveler l'énergie dont ils ont besoin pour mener à bien les projets qui leur tiennent à cœur.

Les parents de jeunes enfants qui ne prennent pas le rythme du nouveau-né en dormant lorsqu'il dort et gardent leurs habitudes perfectionnistes risquent tout autant l'épuisement et la dépression. Les parents de jeunes enfants sont plus à risque de s'épuiser, car ils n'ont pas la maîtrise du rythme de leur travail.

Ce qu'il faut essayer *9. Se rappeler qu'un être vivant doit refaire ses forces et même emmagasiner des réserves en cas d'efforts à donner pour sa survie; c'est pourquoi l'on apprend à aimer ce que l'on fait, à vivre dans ce que l'on aime, et à en contrôler progressivement le rythme.*

On a besoin de ressources pour renouveler ses ressources: c'est un mauvais budget que celui qui n'a pas un fonds de réserve. Et ce principe est encore plus important pour un organisme humain qui doit reproduire ses ressources lui-même, alors qu'il ne peut ni emprunter ni acheter de telles ressources renouvelables.

Je suggère à tous de se faire une réserve d'énergie de 25 % en cas d'urgence, tout en évitant de vivre constamment sur le mode d'urgence et de penser qu'à force de se reposer on se repose. C'est dans l'action qu'on se ressource et dans le sommeil qu'on accède à la qualité, à mon avis la plus importante, de son cerveau: l'émergence des solutions aux problèmes qu'on lui a posés. Encore faut-il poser à son cerveau les bonnes questions, et non lui faire perdre du temps à ruminer sur ce qui devrait déjà être aux poubelles… à moins d'avoir décidé d'un projet de recyclage.

On récupère son manque de sommeil dans les 36 heures, mais encore faut-il prévoir qu'un manque de sommeil oblige à une récupération, et que la fatigue ne se règle pas en ne faisant rien, mais en faisant autre chose.

Développer de saines habitudes de vie et les intégrer dans son contexte peut prendre plusieurs années. Il n'est pas possible, par ailleurs, de ne pas le faire sans en payer le coût sur sa qualité de vie.

Dire non à une demande ne signifie pas un manque d'intérêt pour l'organisation ou la famille; un « non » invite à réfléchir avec ceux qui demandent de l'aide à une façon de réorganiser qui ne taxera personne.

On ne sait pas qui met le désordre, mais on n'a pas le choix de réorganiser sans cesse. Pour réorganiser, on ne peut être fatigué. On doit aussi savoir décider de ses priorités. Remettre de l'ordre dans les tiroirs de son bateau lors d'une tempête n'est pas conseillé si on veut sauver son bateau. Rien n'est organisé pour de bon : c'est la caractéristique du vivant dans son milieu.

Voilà les chemins de la vie, un rééquilibre **constant** dans le mouvement, avec de plus en plus de marge de manœuvre et de choix, tout en se rappelant que la mort va tout arrêter, mais sans devoir compter sur elle pour se réorganiser.

Mieux vaut apprendre à bien profiter de la vie en bonne santé **avec les autres**, avec ou sans maladie, avec ou sans épreuves, plutôt que tenter de maîtriser ses peurs et ses injustices en s'en prenant à sa propre vie ou à celle des autres.

AU NIVEAU INTERPERSONNEL

Ce qu'il ne faut plus faire *10. S'enliser dans son rôle de sauveur (le système protectionniste) en se limitant à surprotéger la personne en danger ou en devenant soi-même une victime qui vit dans la peur.*

De nos jours, la protection de ses droits, de ses territoires et de sa personne est assurée par les lois en vigueur et par la *Charte des droits de l'homme*. Il n'y a pas si longtemps, cependant, il valait mieux se trouver des protecteurs. Cette tendance ancestrale à se faire protéger et à surprotéger la victime se perpétue malgré les droits et les lois. C'est dans les familles que l'on constate le plus de retard dans l'application de ce principe d'autoprotection, et les protecteurs sont encore nécessaires dans la majorité des milieux domestiques, car les abus font encore partie du quotidien.

Un « je vais te tuer » lancé à un membre de la famille est habituellement banalisé ; on évoque la mauvaise humeur. Toutefois, un tel ultimatum en milieu de travail n'est plus du tout acceptable. Les maîtres de la maison devraient faire connaître les interdits et les règles du respect et voir au suivi de leur application, non pas dans la punition, mais dans la réflexion. Ils ne peuvent se limiter à se plaindre des abus d'un membre de la famille sans rien faire ou à l'excuser en raison de sa colère, de sa maladie mentale ou de sa fatigue, tout en protégeant le proche abusé. On sait comment les rapports familiaux et conjugaux conflictuels sont en cause dans les comportements suicidaires des adolescents et des membres du couple. On devrait décider dans toutes les familles de cesser de blâmer lors des différends et de ne plus donner du pouvoir à la colère ni à la disqualification.

Protéger son enfant contre les abus de l'autre parent ne met en aucune façon fin aux abus à son égard. Par ailleurs, il est virtuellement impossible pour l'enfant de rapporter les abus de ses parents, car il risque trop souvent de les faire augmenter si la preuve objective ne peut en être faite. La peur de l'enfant est encore banalisée dans les divers services de protection de la jeunesse et n'oblige pas les familles à changer leurs moyens de gestion des problèmes. L'enfant doit encore chercher à se faire protéger par un des parents contre l'autre dans les conditions actuelles.

Les solutions héroïques dans l'oubli de soi peuvent être à l'origine des agressions dans la famille, comme dans le cas de François et de sa famille.

FRANÇOIS

Le dénouement heureux de l'isolement de François, 24 ans, dans le sous-sol de la maison de ses parents, isolement qui avait duré près de cinq ans, c'est qu'il n'y a pas eu mort d'homme ni ravages par le feu. François a tout démoli dans le sous-sol et a ainsi forcé ses parents à demander l'aide de la police et à cesser de l'héberger dans le sous-sol après son départ. Ni François ni ses parents ne savaient comment mettre fin à cette situation, intolérable pour tous depuis trop longtemps. La solution ne pouvait plus venir d'eux si on la voulait non violente. François vivait en reclus et blâmait ses parents de lui reprocher de s'enfermer ainsi. On en était venu tout simplement à s'éviter pour ne pas risquer de s'entretuer.

François s'en était heureusement pris aux meubles plutôt qu'à lui-même, à ses parents ou aux deux à la fois. Les acteurs de cet univers clos n'étaient plus dans le mode du compromis, mais dans celui de la surcompensation pour les protecteurs ou sauveurs qu'étaient devenus les parents. Tous suffoquaient, mais nul ne pouvait proposer une autre façon d'exister sans se faire condamner. La clé de leur prison était dans d'autres mains que les leurs. François avait fait un premier pas, mais allait-il être enfermé à nouveau dans un simple diagnostic de maladie ?

On ne peut penser que la solution réside seulement dans le traitement forcé de François. Elle commence par la sortie de François du cocon familial devenu une prison. On ne doit plus, de part et d'autre, accepter des mots violents ou désobligeants, mais proposer la coopération dans le respect des limites de chacun et de l'autoprotection. François peut être aidé à se trouver un lieu autre où habiter. C'est en vivant sous un autre toit que celui de ses parents que François et les siens pourront apprendre le code du respect pour se parler et se comprendre. Il faut identifier les barreaux de la prison, plutôt que de s'en prendre aux prisonniers ou aux geôliers.

En général, là où règne la peur, le contexte n'est pas favorable à la santé. Là où règne un contexte de violence sont omniprésentes la culpabilisation par le blâme tacite ou explicite, et la recherche de qui est en faute.

Ce qu'il faut essayer ***10. S'adresser à un tiers pour installer la règle du respect de l'autonomie de chacun dans la coopération et l'autoprotection, et adhérer à l'éthique de la réciprocité.***

On sait que la règle du respect de l'autonomie est adoptée dans le milieu où l'on évolue lorsque chacun peut parler de ses limites pour réorganiser les demandes et les besoins, les siens, ceux des autres et ceux du groupe, vers les solutions possibles.

Un être autonome ne peut être ni dépendant ni indépendant. Il a besoin des autres pour être confirmé comme un être pensant et sentant par lui-même, mais il ne veut pas être contrôlé par eux. Il veut décider par lui-même, tout en étant dans des rapports chaleureux avec ceux qui lui tiennent à cœur.

Paradoxalement, la règle du respect de l'autonomie dans la coopération, l'autoprotection et la réciprocité ne peut pas être imposée, ni de l'intérieur ni de l'extérieur. Elle ne peut être que proposée par une personne à qui le groupe s'adresse pour être aidé, et cette autre personne peut aussi être un tiers virtuel (voir Nathalie et Gérard au point 8, à la page 115). C'est une règle d'éthique qui exige la participation de tous. On ne propose pas cette règle dans un esprit d'idéalisme ou de vertu, mais par incapacité de pouvoir travailler sans elle si l'on veut promouvoir la santé. La personne qui la propose doit accepter la décision du groupe et se retirer si ses membres refusent d'adopter la règle, comme ce fut le cas pour Mélanie (voir chapitre 1, page 13). La personne consultée prend tout d'abord le rôle de médiateur et d'intégrateur ; médiateur pour proposer la règle de coopération, intégrateur pour permettre à chacun de répondre à ses besoins par des services et des traitements dans un contexte sain.

QUENTIN ET HUGO

Quentin, père de jeunes enfants, rapporte avec inquiétude que son fils aîné de cinq ans, Hugo, lui a dit : « Papa, tu te fâches trop ! Ça me fait peur. » L'enfant se réveille souvent en sursaut comme s'il faisait des cauchemars. La bonne nouvelle : l'enfant a parlé et a été entendu. C'est déjà le signe d'un contexte sain. Il ne faut pas le rendre malsain par des excès de promesses non tenues.

Le père, qui est d'un caractère prompt, a lui-même été élevé par un père facilement irritable et ne veut surtout pas faire vivre à son fils ce qu'il a vécu. C'est sa mère qui le protégeait durant les sautes d'humeur de son père qui, heureusement, n'était pas souvent à la maison. Quentin, lui, est plus souvent à la maison que la mère des enfants.

Il doit installer la règle du respect de l'autonomie dans la coopération, l'autoprotection et la réciprocité. Il dit donc à son fils : « Hugo, ton père n'est pas parfait. Je dois apprendre à me calmer. Jusqu'à ce que je le sache, lorsque tu me vois fâché, éloigne-toi. Dis-toi que papa est en train d'apprendre. Il ne te frappera pas. C'est interdit, et il ne te criera pas après. C'est interdit pour toi, pour ton frère et pour ta sœur, pour ta mère tout autant que pour moi. Mes sautes d'humeur qui te font peur t'autorisent à aller jouer sur ton iPad. Je comprendrai très bien alors que tu dois t'éloigner en raison de mes agissements.» Certains diront que Quentin donne le contrôle à son fils. Non, il installe la règle d'autoprotection qui donne le pouvoir à Hugo de se protéger, et qui lui donne à lui-même la possibilité réaliste d'apprendre à se calmer.

L'enfant de cinq ans qui peut dire à son père: «Papa, j'ai peur quand tu parles si fort et que tu deviens tout rouge!» vit dans une famille où l'enfant peut rétablir la règle de non-violence dans les échanges, car elle y a déjà été adoptée implicitement ou explicitement. L'enfant qui se tait, par peur de son père, vit dans un contexte de violence. L'enfant qui s'éloigne momentanément de son père pour attendre qu'il se calme, parce que c'est ainsi que ses parents lui ont appris à se protéger des gens qui sont en colère, vit dans un contexte de non-violence.

Ce n'est pas l'existence de comportements violents occasionnels dans un milieu qui fait de ce milieu un contexte de vie pathogène. C'est l'absence d'une entente sur la règle du respect de l'autonomie dans la coopération, l'autoprotection et la réciprocité, et sur les moyens de son application qui rend abusif le milieu où l'on vit et évolue.

Ce qu'il ne faut plus faire ***11. Ignorer ou cacher les problèmes, ou se limiter à exclure les coupables du milieu.***

Balayer le problème sous le tapis est le réflexe de ceux et celles, en particulier des sauveurs et des protecteurs, qui n'ont pas adopté une méthode de gestion des problèmes avec les personnes concernées ou qui se trouvent dans une organisation, une famille ou un milieu de travail, où l'autorité est rigide et blâme même celui qui parle d'un problème.

Si l'on veut éliminer le suicide dans sa vie, il faut pouvoir mettre les problèmes sur la table et éviter à tout prix de rester seul dans la détresse.

Pour un sauveur, un problème est perçu comme un blâme à son égard. En effet, dans sa culture de sauveur et de protecteur, tous ceux qui sont sous sa gouverne devraient être exempts de problèmes.

Combien de patients me disent qu'ils ne peuvent réfléchir à un problème avec les personnes clés parce que ces dernières en ont déjà assez avec leurs propres problèmes ? Il est évident qu'on ne peut discuter d'un problème avec une personne qui se sent obligée d'y apporter une solution. Les sauveurs-protecteurs sont des voleurs de problèmes. À leurs yeux, il vaut mieux cacher le problème ou tricher et faire comme s'il n'y avait pas de problème. La spirale de la récursivité étant en marche, on s'enferme de plus en plus dans une dynamique explosive de cul-de-sac, qui correspond souvent à l'univers du suicidaire.

Le gros écueil lorsqu'on est en position d'autorité, même si on veut adopter un leadership souple, c'est d'être dans la posture intenable de devoir maintenir la stabilité de l'organisation (famille ou milieu de travail) tout en faisant de la place au problème qui risque de déstabiliser l'organisation même. Quitter son poste ne fait pas changer la culture ou la structure dysfonctionnelle, et on pensera d'un chef qui abandonne qu'il est incompétent ou qu'il n'a pas l'organisation à cœur. Par ailleurs, si un deuxième employé quitte l'entreprise, le message passera mieux. Malheureusement, dans les grosses entreprises, l'organisation risque de mourir avant qu'un changement de structure ne puisse être mis en place pour la sauver.

La réorganisation vient de l'extérieur, comme on l'observe le plus souvent dans les services d'éducation et de santé. On impose les changements en blâmant le manque d'engagement de ses acteurs. On n'a pas encore la culture du leadership interne et de ses transformations continues.

Rien de mieux que de sauver le couple, mais rien de pire que de miser sur la mort ou la maladie d'un de ses membres pour la survie de l'autre. Dans une famille, la séparation du couple peut être bénéfique pour les enfants si les deux époux reconnaissent l'importance du couple parental et des bons rapports à sauvegarder comme parents au-delà de la rupture de leur union conjugale. L'existence d'enfants devrait obliger tout couple à sauvegarder le couple parental. Maintenant, avec le nombre grandissant de ruptures conjugales, on devrait, dès la planification d'une première grossesse, encourager les futurs parents à suivre un cours du maintien du couple parental en cas de séparation. Il n'y a rien de plus nuisible que de confondre couple conjugal et couple parental.

Ce qu'il faut essayer *11. Un bon leader perçoit les problèmes et se préoccupe d'installer un processus où chacun contribue aux solutions.*

Un bon leader disparaît et tous savent quoi faire.
Un sauveur ou un protecteur disparaît et tous se sentent abandonnés.

L'oiseau B95 (le bécasseau maubèche), pesant 50 g, a parcouru en volant 800 kilomètres en six jours sans s'arrêter[78]. Son gosier, à la fin de ce vol, n'avait plus comme fonction que de participer au vol. Toutes les cellules du corps de l'oiseau ne vivaient plus qu'en fonction de ce vol. Toutes les cellules avaient le même plan et pouvaient se transformer en conformité avec le besoin du corps.

Dans l'histoire antique, on cite le coureur de Marathon, Philippidès, décédé après les 42 kilomètres qui le séparaient de sa destination, Athènes. Le message devait être livré. Le messager a été sacrifié pour les besoins de l'entreprise.

Depuis l'avènement de la *Charte des droits de l'homme*, il n'est plus question de sacrifier qui que ce soit aux besoins de l'organisation, du moins pas de façon aussi brutale. Dans une organisation saine, tous devraient connaître le plan général pour être en mesure de se substituer, en situation de crise, les uns aux autres. Lorsqu'une organisation est dysfonctionnelle, chacun essaie de garder pour soi son information afin d'appliquer le principe des terres brûlées : à son départ, rien ne pourra continuer et l'organisation disparaîtra.

Trouver un compromis consiste à penser à soi, à penser aux autres et à penser au groupe. L'oubli de soi est un principe fondateur des chemins de la mort. Ainsi on cherchera, pour poursuivre ses passions, à ne plus être dans le sacrifice de soi, mais dans la générosité et le compromis.

GAÉTANE

Gaétane, la fille aînée débrouillarde, s'est oubliée au bénéfice de sa famille depuis l'enfance. Elle a oublié ses intérêts dans cet esprit de sacrifice. Voilà qu'on la blâme d'avoir l'usufruit de la maison familiale au décès de sa mère dont elle s'est occupée jusqu'à sa mort, lui évitant ainsi d'être placée en résidence pour personnes âgées. Les frères et sœurs auraient eu besoin immédiatement de l'argent de la vente de la maison ; ils ont tellement plus de responsabilités que cette fille, célibataire maintenant, puisqu'elle n'a pas d'enfants ! Gaétane est indignée de ne pas être reconnue dans ce qu'elle a fait pour les siens. Elle en perd le sourire, le sommeil, l'énergie et la santé. Elle devient de plus en plus déprimée et incomprise par les siens. Assez, c'est assez ! Elle tente de se suicider avec ses antidépresseurs. Elle réussit après une deuxième tentative, malgré les traitements nombreux qu'elle a reçus. La famille se console en se disant que Gaétane a toujours été une égoïste et a toujours voulu tout garder pour elle-même, y compris sa mère.

Gaétane et sa famille étaient encore dans la mentalité du protecteur, de l'oubli de soi, et de l'ignorance du compromis et de l'équité. Les parents ont été des sacrifiés plutôt que des leaders. Ils ont misé sur le sacrifice de Philippidès.

Lorsqu'on est interpellé par un problème, il est bon de créer un climat et un contexte permettant à la personne concernée par le problème de le résoudre progressivement par elle-même, et avec les autres si cela est nécessaire. Elle garde cependant la coordination des solutions. Il n'appartient pas aux soignants du suicidaire de prendre la responsabilité de lui sauver la vie. Ils doivent s'assurer qu'il participe à une réflexion **éthique dans la réciprocité** et non tenter de lui vendre les mérites de la vie. Quand on est déprimé, il est bien difficile de les voir de toute façon. C'est le suicidaire qui peut alors se prononcer sur ses besoins de protection. Toutefois, s'il a pris l'habitude de cacher ses problèmes, il est bon de faire un état de siège avec lui et les siens pour se comprendre dans une nouvelle logique d'autoprotection et de suivi de cette logique. L'état de siège signifie que personne ne peut sortir de la pièce jusqu'à ce que tous aient amorcé ensemble une réflexion concernant une approche sécuritaire, réflexion qui peut se poursuivre au cours des semaines suivantes, toujours avec les personnes concernées, celles qui perdraient un être cher.

Ce qu'il ne faut plus faire *12. Imposer ses solutions ou s'en laisser imposer, ou encore rester sourd ou muet face à toute discussion concernant la situation en cause (voir « La roue de la victimisation », page 73).*

Suivre l'idée de l'autre conduit souvent à la catastrophe; faire de l'idée de l'autre la sienne peut conduire au succès.

Avoir de bonnes idées est relativement facile; faire en sorte que les autres les trouvent bonnes et les mettent en pratique, c'est autre chose.

La formation professionnelle s'est transformée au cours des dernières décennies. Pour qu'une formation soit jugée valable, elle doit apporter la preuve qu'elle a pu améliorer les pratiques; elles sont encore rares, cependant, ces formations qui en font la preuve objective. Pourtant, on ne donne des crédits de formation qu'aux animateurs qui se sont informés des besoins des participants pour l'atelier ou le cours qu'ils proposent.

Un cardiologue me disait qu'après avoir prodigué pendant 25 ans des conseils à ses patients sur les bonnes habitudes à prendre pour rester en santé ou recouvrer la santé, il avait dû se rendre à l'évidence: il avait plus souvent qu'à son tour parlé inutilement. Pour ne pas en vouloir à ses patients, il avait accepté cette évidence, puis développé des formations auxquelles s'étaient intéressés ses patients ainsi que d'autres gens pour apprendre à améliorer et à développer leurs habitudes de santé. Le résultat avait été nettement plus favorable, et pour lui, et pour ceux qui choisissaient de participer à ses formations.

On ne peut non plus rester sourd à une demande de changement, car les personnes concernées deviendront rapidement muettes ou, à l'opposé, agitées ou perturbantes. La spirale de la récursivité créera une tour de Babel où les vices de communication se multiplieront à l'infini. Bref, on ne peut plus se comprendre dans un milieu de muets et de sourds, et tout essai dans ce sens est saboté dans un pessimisme grandissant.

Pour ma part, je veux m'assurer de déposer des grains de sable dans les systèmes dysfonctionnels en rencontrant les familles dès la première crise suicidaire. Je leur propose alors une directive pour faire cesser le blâme (points 13 et 14), tout en gardant une oreille sélective pour tout ce qui est ouverture sur les chemins de la vie plutôt que sur la maladie.

Ce qu'il faut essayer **12.** ***Apprendre à distinguer les systèmes fonctionnels des systèmes dysfonctionnels qui rendent les interventions inefficaces plutôt que de blâmer un acteur: la pomme pourrie tombera d'elle-même.***

Percevoir le système plutôt que les traits caricaturaux des acteurs exige de reprendre le regard de l'enfant qui pense action et efficacité. La psychiatrie nous a enseigné à détecter la pathologie des acteurs et à la considérer comme la cause de tous les problèmes comportementaux et relationnels. Cette recherche de la pomme pourrie ou de la pomme malade nous a détournés de notre capacité d'enfant de percevoir les systèmes. « L'arbre cache la forêt. »

Lorsque rien ne va plus, les acteurs qui voient une solution ne sont intéressés à rien d'autre que cette solution... à moins que la personne porteuse de la solution ne se voie éthiquement incapable de leurrer ces acteurs en leur donnant cette solution. Proposer un contexte de respect de l'autonomie dans une urgence psychiatrique, pour plusieurs, dépasse l'entendement. « Passons au plus pressé. Voyons seulement à la sécurité du suicidaire, à évaluer s'il est dangereux ou pas, à le protéger ou à lui donner son congé pour un suivi de sa maladie s'il en est porteur. » Malheureusement, si on n'intervient pas sur le système au moment où l'individu est en crise, on vient alors de perdre une possibilité d'impact important, le *momentum*, pour s'engager dans de nouveaux chemins, dans de nouveaux rapports afin de gérer autrement les problèmes. Agir vite et efficacement implique de **reconnaître là où il faut prendre le temps**. Accepter son impuissance à apporter la solution souhaitée, mais qui risquerait de nuire à long terme, ne veut pas dire être impuissant. Cette impuissance temporaire oblige cependant de prendre le temps d'aborder le problème autrement.

Quand le suicidaire est pris en charge par les soignants ou reçoit son congé sans que nul n'ait eu la chance de travailler sur les contextes, tout retombe comme avant. On écoute poliment les conseils sur la coopération, mais on conserve sa façon de régler les problèmes, celle-là même qui a semblé mettre fin à l'option suicidaire: la recherche du traitement et le traitement.

La coopération dans la réciprocité est un processus lent, car nous faisons des pas en avant, en arrière et sur le côté, tel que mentionné plus tôt, et de nouvelles habitudes ne peuvent s'installer que lorsque les anciennes ne sont plus accessibles. L'aide d'un pilote est nécessaire durant cette étape pour éviter les écueils. Contrairement au pilote du Saint-Laurent cependant, l'urgentiste en psychiatrie reconnaît les routes mortelles à éviter pour de bon, ces routes sur lesquelles lui-même ne sait comment se comporter, et propose une nouvelle approche pour régler les problèmes. Paradoxalement, le pilote urgentiste est au summum de son utilité quand il devient inutile pour les divers capitaines, dorénavant capables d'éviter les prochains écueils, car ils sauront ce qu'il ne faut plus faire.

Il y avait plusieurs pommes pourries dans l'histoire d'Octave (page 68). Placé dans un nouveau contexte de coopération dans la réciprocité, Octave a été celui qui a trouvé la solution à l'avantage de tous en n'entretenant plus les malheurs du passé pour composer avec les difficultés du présent. On aurait pu dire qu'il était la principale pomme pourrie au tout début de sa crise suicidaire, tant dans sa famille qu'au travail... et qu'il a réussi à guérir en assainissant son verger.

Ce qu'il ne faut plus faire *13. Se penser en droit d'humilier l'autre, de le disqualifier, de le traiter injustement ou de l'attaquer pour se défendre.*

Comment ne pas devenir la victime de l'autre tout en évitant de retourner le coup reçu ?

C'est impossible s'il n'y a pas une entente sur une règle interdisant de tels comportements. Quand une personne entre dans une escalade de coups, d'abus verbaux, de bouderie, l'autre ne peut pas rester sous le même toit ou dans le même bureau, sinon tous deux permettent que s'installe une relation sadomasochiste.

Il y a possibilité d'un double lien lorsqu'une personne en autorité apporte sans en parler aux autres des changements qui les touchent directement. Si on ne réagit pas, on laisse alors s'installer un rapport autoritaire rigide de victimisation ; si on manifeste violemment son indignation sur le mode émotionnel, on risque de se faire accuser d'insubordination ou d'avoir tenu des propos abusifs. C'est ce que j'appelle le « réflexe rotulien », celui du neurologue qui blâmerait son patient de lui donner un coup de pied alors qu'il vient de cogner son genou pour vérifier... son réflexe rotulien.

Guet-apens similaire: un patient attaque verbalement un soignant et le soignant répond avec colère, ou encore ne revient pas après la crise sur ces propos abusifs.

On doit à la fois préalablement s'être interdit de réagir sous le coup de l'émotion et ne pas être seul lorsqu'on veut porter secours dans un esprit humanitaire. Je pense ici aussi au parent qui continue désespérément de consoler son petit, qui ne répond pas à ses gestes de réconfort. Mieux vaut alors pour le parent déposer l'enfant dans un lieu sécuritaire et faire appel à une personne de confiance, plutôt que persister avec une méthode qui ne fonctionne pas. L'abus est imminent si on devient, ou si on se sent soi-même devenir, la victime de l'autre. Quant au soignant, il devra s'entendre avec son patient sur les modalités d'apprentissage de la gestion des frustrations sans moyens violents.

On peut dire que le plus grand service qu'on peut rendre à ceux et celles qu'on tente d'aider est de ne pas devenir leur victime tout en ne les abandonnant pas.

Ce qu'il faut essayer *13. S'entendre préalablement sur la nécessité de faire une pause (*time-out*) en cas de tensions pour éviter les explosions émotionnelles désastreuses les uns contre les autres.*

Les pauses en cas de tensions doivent faire l'objet d'une entente entre les deux parties bien avant que la spirale de la récursivité ne se soit emballée, ce qui arrive lorsque chaque partie se sent autorisée à répondre par une attaque à l'attaque de l'autre, que le blâme est autorisé comme moyen de défense. Les possibilités d'un retour à un climat normal passent par la consultation avec un tiers pour proposer cette pause.

Le tiers ne peut s'imposer ni imposer une solution à moins que les deux parties ne lui donnent le mandat de le faire. Il peut alors proposer la règle mentionnée au point 10 (voir «Ce qu'il faut essayer», à la page 120). Sortir lors d'une situation tendue pour ne pas attaquer n'est surtout pas fuir le problème; c'est se donner le temps nécessaire pour que le ton permette à nouveau des échanges efficaces.

Le tiers peut être aussi le parent, la personne en autorité dans un milieu de travail, ou être virtuel si les parties sont conscientes des relations.

Ce qu'il ne faut plus faire ***14. Se blâmer, blâmer les autres ou se laisser blâmer.***

Par le passé, la honte et la culpabilité ont été les sentiments les plus employés pour le maintien de l'ordre social et de la paix dans les familles, dans un contrôle exercé selon les valeurs judéo-chrétiennes. Ces sentiments commencent heureusement à perdre de leur pouvoir dans les messages publicitaires des organismes de santé publique, au bénéfice du sentiment de responsabilité de ses actes et de leurs conséquences. Par exemple, la publicité sur les dangers de l'alcool au volant joue sur l'émotion de peine face à la mort d'un être aimé, sur les conséquences désastreuses d'une mort causée par la conduite en état d'ébriété.

Le blâme a pour objectif de créer la honte ou la culpabilité pour inhiber un geste ou une pensée, pour rendre fautif. Souvent, j'entends mes patients me dire: «Je ne blâme que moi-même pour ce qui est arrivé.» Vous blâmer, blâmer les autres ou vous laisser blâmer provient d'une même logique relationnelle, celle des rapports de contrôle. Se blâmer, c'est se définir comme inadéquat parce qu'on a commis une erreur. C'est se maintenir dans les chemins de la mort, de la résignation et de la rumination; c'est s'empêcher d'agir pour éviter de nouvelles erreurs.

Que le blâme soit dirigé vers les autres n'est guère plus valable pour soi et pour les autres. On se maintient, tant l'autre que soi, dans la peur d'être jugé comme non valable en raison des erreurs possibles. C'est la personne qui fait la vaisselle qui risque d'en casser.

Reconnaître ses erreurs est bien différent de laisser les autres nous maintenir dans la culpabilité ou de s'y cantonner soi-même avant d'être accusé. On ne peut rester dans un couple ou dans un groupe où on ne pense qu'à faire sentir l'autre coupable. On est bien loin de la logique du respect de l'autonomie et de la réorganisation à partir des limites de chacun.

Ce qu'il faut essayer ***14. Reconnaître ses erreurs et en discuter sereinement sans honte ni culpabilité.***

Reconnaître ses erreurs oblige d'une part à ne plus se définir que par ses paroles et ses actes, d'autre part à reconnaître qu'on en a été l'auteur. Cela nous amène à ne plus nous renier, mais à réparer nos dégâts ou à accepter nos pertes.

J'entends souvent les personnes déprimées ou anxieuses se plaindre de ne pas avoir confiance en elles. Ce n'est pas en leur parlant de leurs qualités qu'elles reprendront confiance, mais en réfléchissant avec elles sur leurs valeurs perfectionnistes et protectionnistes qui proviennent d'une approche axée sur le blâme.

Sortir de son perfectionnisme ne signifie pas faire les choses à moitié, mais réfléchir sur les risques d'une décision et prévoir un plan B si la décision prise nous entraîne hors de notre chemin ou dans un cul-de-sac. On tente de prendre les risques acceptables pour s'autoriser à essayer à nouveau.

La recherche de la meilleure solution nous éloigne des solutions les moins mauvaises.

On doit quitter le monde de l'absolu pour entrer dans celui du relatif. Il n'y a plus de blanc ou noir, mais plutôt de multiples zones de gris. C'est la dialectique de l'éthique. Il y a toujours du pour et du contre lorsqu'on prend des décisions. L'important, c'est que les personnes qui devront en assumer les conséquences fassent partie du processus décisionnel.

Dans cette optique, devant l'imprévisibilité du suicidaire, il revient au soignant consulté de réfléchir avec le suicidaire et les siens sur les pour et les contre des interventions proposées.

Ce qu'il ne faut plus faire ***15. Se laisser entraîner à camoufler des secrets qui nous exposent à nous renier ou à subir de futurs chantages.***

Ce qu'on ne peut faire devant les autres, il vaut mieux ne pas le faire. Ce que l'on ne peut reconnaître comme provenant de nous risque de nous entraîner dans les chemins de la victimisation et des solutions suicidaires.

RODOLPHE

Lorsque Rodolphe et Justine se sont rencontrés, c'était pour eux deux le grand amour, l'un représentant l'idéal de l'autre. Justine avait été la grande fille débrouillarde de sa famille, qui avait dû prendre soin très jeune de ses parents. Rodolphe avait été le bouc émissaire de la sienne lors de la faillite de l'entreprise de son père, qu'il avait tenté d'aider dans son jeune âge puisqu'il était l'aîné.

Tous deux pansaient mutuellement leurs plaies. Justine croyait aux capacités d'entrepreneur de son amoureux et avait investi dans ses affaires l'héritage reçu de ses parents, comme marque de confiance. Rodolphe s'était mis à cacher à Justine ses déboires financiers pour maintenir ce rapport idyllique qui leur était cher à tous les deux. Lorsque Justine découvrit l'état désastreux des finances du couple, Rodolphe tenta de se tuer. La police dut l'amener aux urgences pour sa protection.

L'hospitalisation fut très longue, car Rodolphe avait caché tant de choses, et toute découverte entraînait un nouveau mouvement de désespoir. Il ne s'était pas du tout donné un contexte favorable pour ses essais et ses erreurs, puisqu'il devait prouver sa valeur par l'entremise de ses succès professionnels. Justine l'avait, par ailleurs, enfermé dans ses secrets en voulant le valoriser par ses succès plutôt que par l'intérêt qu'elle portait à ses projets.

Le chantage commence par l'enfermement dans un rapport à l'autre ou à un groupe. Il n'est plus possible de refuser ce qui est demandé à moins de perdre la vie ou ce qui nous est le plus cher, qu'il s'agisse de biens matériels ou de sa propre crédibilité. Les demandes deviennent de plus en plus importantes. La clé de cette prison est dans les mains de l'autre ou des autres. C'est l'explosion éventuelle au détriment de tous, le meurtre camouflé en suicide... ou encore le meurtre et le suicide simultanés.

Ce qu'on ne peut perdre, on ne peut le posséder. Il faut apprendre à perdre sans honte ni culpabilité pour mieux gagner sans se faire emprisonner dans ses gains. Rien de plus dangereux qu'une personne qui se donne corps et âme à sa famille et qui se voit laissée pour compte par les siens, comme Gaétane (voir page 124) l'avait été, non reconnue dans ses sacrifices, mais ridiculisée et blâmée d'avoir couru à sa perte en n'étant pas assez gentille ou futée. Sortir de ces rapports de contrôle est toujours fort risqué. Mieux vaut les reconnaître pour éviter de s'y enliser.

Ce qu'il faut essayer **15. *Miser sur l'honnêteté et sur une discrétion respectueuse des autres, et désamorcer tout risque de bombes à retardement.***

Commencer une nouvelle vie selon l'éthique de la réciprocité avec les siens oblige à l'honnêteté. On ne peut plus miser sur des moyens violents au pis aller. On ne peut plus vivre dans la tricherie pas plus que dans l'oubli de soi, qui entraîne automatiquement l'oubli des autres dans la colère ou la détresse. On ne peut plus cacher son jeu sur les priorités reconnues dans le groupe.

ROBERT

Robert, alcoolique et joueur compulsif, en était à sa troisième évaluation aux urgences pour des problèmes suicidaires en 15 jours. À la question : « Qui viendrait à vos funérailles aujourd'hui si vous étiez mort ? », il avait répondu : « Mon fils de 22 ans, Antoine. » Il n'avait pas voulu qu'on appelle le jeune homme au cours des visites antérieures. « Est-il attaché à vous ? Lui êtes-vous attaché ? » C'est sans hésitation qu'il répondait par l'affirmative aux deux questions. « Que dira-t-il lorsqu'il saura que vous êtes venu trois fois aux urgences sans qu'on prenne la peine de le prévenir ? Et vous, que diriez-vous si c'était lui qui était ici à votre place et si on ne vous appelait pas ? » Il savait que si son fils venait, il ne pourrait plus lui raconter des histoires qui ne tenaient pas debout. Il devrait enfin être honnête dans ses démarches pour reprendre sa vie, en tenant compte de ses deux dépendances, le jeu et l'alcool. Cette rencontre ne pouvait se faire sous notre pression. Il a demandé du temps pour réfléchir. Le lendemain, il était prêt. Ce fut un virage pour lui et Antoine. Il a pu s'engager dans un modèle de type « pas de nouvelles, bonnes nouvelles ». Il y aurait peut-être des rechutes ; il ne perdrait plus son énergie à les cacher, mais consacrerait plutôt ses efforts à les écourter de plus en plus. Il pourrait devenir pour son petit-fils à venir l'exemple d'une personne qui est revenue de loin, de très loin. L'important maintenant pour lui, c'était de quitter les chemins de la mort pour se donner les moyens de se retrouver dans les chemins de la vie, où il n'y a que des tout-terrains.

Ne pas cacher ne signifie pas tout dire et tout dévoiler. Cacher nous éloigne de nos projets. S'attendre à la discrétion des autres fait partie des règles de savoir-faire dans un groupe. On décourage bien sûr les gens de dire des choses désobligeantes au sujet des uns et des autres.

Les bombes à retardement sont souvent les personnes qui s'oublient pour les autres. Elles créent chez les autres des dettes morales, sans le leur dire clairement, mais elles ne tolèrent pas de ne pas être reconnues. On ne peut demander un service à une personne qui ne peut dire non. Le prix du service est trop élevé.

Ce qu'il ne faut plus faire ***16. Forcer l'autre à acquiescer.***

On peut proposer, mais on ne peut imposer. Dans le respect des limites de l'autre, il est bon d'interpréter même une hésitation comme un refus. Forcer l'autre à acquiescer grâce à la culpabilisation est l'indice d'un contexte de victimisation. « Si tu m'aimais vraiment, tu dirais oui. » « Tu ne m'aimes plus : tu ne veux pas me faire plaisir. » Devoir donner des preuves d'amour, c'est le signe qu'on est non pas dans un rapport d'amour, mais de peur de l'abandon.

Dans les relations de contrôle, dire non à une demande est interprété comme un signe de détachement affectif de l'autre. On blâme l'autre de ne pas assez aimer en sous-entendant que s'il aimait suffisamment, il acquiescerait.

Ce qu'il faut essayer ***16. Aimer et coopérer ne se traduisent plus par un « oui » à toutes les demandes.***

On n'a pas à donner des preuves qu'on aime dans les rapports de coopération et d'autoprotection dans la réciprocité. Ne pas pouvoir acquiescer à une demande peut même signifier que la relation durera longtemps, parce qu'alors la demande n'est pas perçue comme un ordre auquel l'on doit obéir pour témoigner de son amour.

L'amour est un sentiment naturel lorsque les territoires sont bien délimités et que l'on peut jouer ensemble en toute camaraderie. Il oscille sans cesse. Il peut y avoir des moments neutres ou des moments d'agacement. On accepte ces sentiments sans devoir les justifier. Il est bon de dire pourquoi on aime, mais de ne pas trop dramatiser quand l'amour se refroidit. Le sentiment d'amour se réactive toujours dans un contexte sain. Rien de mieux que d'avoir des intérêts communs.

L'attachement se situe à un autre niveau. Les personnes qui ont vécu en bas âge des bris dans leur attachement confondent amour et attachement. Elles craignent toujours d'être abandonnées lorsque l'amour est au neutre et recherchent sans cesse à être rassurées dans le lien d'amour. La réassurance prend la place de l'amour et risque même de l'étouffer.

Le philosophe Blaise Pascal disait à peu près ceci dans son pari sur la foi : « Je crois en Dieu parce qu'il est plus rentable d'y croire. » À ceux et celles qui doutent de l'amour, je conseille de s'en tenir à ce qu'ils entendent et non à leurs interprétations, qui risquent davantage d'étouffer cet amour que de le ranimer avec des questions incessantes du genre : « M'aimes-tu vraiment ? » Dans l'amour, il doit toujours y avoir le choix de l'autre par l'autre. On ne peut retenir quelqu'un contre son gré, et on ne veut pas de quelqu'un qui ne veut plus être avec nous. La décision de rester avec l'autre appartient à chacun et doit être respectée, mais non sollicitée. Ne pas nous sentir aimés nous amènera à partir.

Ce qu'il ne faut plus faire 17. *Se comparer aux autres, les envier, se sentir honteux ou coupable, s'excuser sans cesse de ses gestes.*

Le Dalaï-Lama considère qu'il y a trois péchés graves : la colère, l'envie et l'ignorance[79]. Parlons maintenant de l'envie, puisque nous avons abordé dans les autres points le péché et la colère, et que nous ne cessons, tout au long de cet ouvrage, d'en apprendre sur la syntaxe des relations afin de ne plus pécher par ignorance dans le domaine des contextes relationnels.

Se comparer aux autres, les envier, se sentir honteux ou coupable, s'excuser sans cesse de ses gestes, tous ces comportements et aspirations proviennent de la même position relationnelle. Cette position, c'est celle de la personne qui ne peut prendre sa place ou qui accuse les autres de ne pas la lui laisser, ou qui s'excuse sans cesse de déranger et d'exister. C'est une position certes apprise dans l'enfance. Les parents autoritaires rigides qui ne comptent pas sur l'apprentissage et la participation de leurs enfants au bien-être de la famille ont programmé ces enfants à se conformer avant tout à leurs normes, plutôt qu'à développer leur créativité dans le respect des territoires de chacun et du groupe.

Les parents autoritaires rigides ont bien souvent été éduqués de la façon dont ils éduquent leurs propres enfants. Les enfants de ces parents pourront décider de ne pas répéter le modèle et se rendront souvent compte qu'ils ne l'ont qu'inversé, en permettant à leurs enfants de devenir leurs dictateurs. Ce n'est guère mieux. Ils n'ont vu que des parties du modèle et non l'ensemble du jeu. C'est ce que les parents de Mélanie (voir page 13) avaient fait au début.

L'adage « être né pour un petit pain » décrit bien cette position dans laquelle on se condamne à n'être rien et à prouver que les autres sont des moins que rien. C'est le risque que courent les autochtones de bien des pays : celui ou celle qui veut se distinguer ou se développer à l'extérieur de son groupe y est ramené en se faisant rappeler son origine et son atavisme, ou y est jugé comme un traître et rejeté.

Le taux de suicide chez les autochtones du Canada est presque 100 fois plus élevé[80] que dans les pays occidentaux. Ce ne sont pas seulement les professionnels de la santé qui feront la différence ni la restriction de l'accès aux moyens létaux. C'est aux collectivités elles-mêmes qu'il appartiendra de nous rappeler les abus dont elles furent victimes et de prendre des moyens pour recouvrer leur fierté. Les commissions de témoignages[81] et de réconciliation du Canada dans le cadre des Nations Unies pour l'enfant déraciné et pour le parent oublié nous ont fait vivre des moments forts en 2013, avec la reconnaissance des fautes commises entre autres par les autorités gouvernementales dans la création de pensionnats pour « coloniser » les enfants autochtones. Les fautes étant reconnues, il leur faut maintenant ne plus en vouloir aux autres et ne plus les envier. Ils doivent se donner des contextes favorables afin de se réapproprier enfin leur pouvoir d'agir dans le monde d'aujourd'hui.

Ce qu'il faut essayer *17. Avoir confiance en soi en acceptant de faire des erreurs sans se prendre soi-même pour une erreur ou pour une personne inférieure ; se donner un contexte d'essais et d'erreurs en concordance avec le choix de ses souffrances.*

Avoir confiance en soi ne veut surtout pas dire que tout nous réussit.

Dans le film *New York Stories*, le peintre célèbre dit à son apprentie, qui lui demande si elle devrait continuer dans son art : « Mais tu ne comprends pas ; on ne continue pas à peindre parce qu'on a du talent, on continue parce qu'on ne peut pas s'en empêcher. » Certains peintres seront reconnus et d'autres pas. Impossible de savoir à l'avance lesquels !

Le sentiment d'avoir confiance en soi vient de la reconnaissance de ses passions et de sa créativité. Avec le temps, on sait qu'il y a des projets qui réussissent et d'autres pas. On s'ajuste. Il y a des souffrances dans tous les chemins. L'arrachement est la souffrance des chemins de la vie.

Je ne saurais m'empêcher de rappeler ici cette citation d'Eleanor Roosevelt, déjà mentionnée au chapitre 8 : « Nul ne peut vous faire sentir inférieur à moins que vous ne lui en donniez le pouvoir. »

Être humble (mais non humilié) permet d'apprendre sans cesse des autres sans se sentir idiot de ne pas tout savoir. On ne peut apprendre en se faisant traiter d'imbécile. C'est l'étudiant qui donne au professeur la fierté de bien enseigner. C'est souvent le malade qui fait la différence dans la qualité des soins qui lui sont offerts.

Il faut aussi accepter l'irréparable pour se permettre de renaître à une vie d'espoir en collaboration avec ceux et celles qui reconnaissent leurs torts. Ce n'est pas dans l'autoflagellation ni dans les accusations qu'on reprend vie, mais dans la reconnaissance des fautes commises et par la suite, si cela est nécessaire, dans la collaboration avec ceux-là mêmes qui ont participé au « carnage ». Il faudra donc apprendre à renaître de ses cendres.

Ce qu'il ne faut plus faire *18. Donner de plus en plus de preuves pour gagner la confiance de l'autre.*

Comment rendre son conjoint encore plus jaloux ? En lui donnant de plus en plus de preuves qu'il n'a pas à l'être.

La poursuite des preuves est un jeu sans fin.

ANNETTE

Annette a fait une tentative de suicide alors qu'elle ne parvenait plus à retrouver la confiance de son mari après une malencontreuse aventure amoureuse extra-conjugale. Il revenait toujours sur cette histoire, même dans leurs meilleurs moments d'intimité. Elle n'en dormait plus. Après une altercation, elle a avalé tout ce qu'il y avait de pilules dans son armoire. Elle voulait tant que son couple reprenne et s'en voulait tant de l'avoir brisé par cette folle soirée.

Ce qu'il faut essayer *18. Apprendre à risquer la confiance et s'attendre à ce que les autres la risquent avec nous.*

Annette n'était pas au courant des jeux sans fin. Elle y participait sans le savoir. Elle ne savait pas non plus que la confiance, ça ne se gagne pas. On **prend le risque** de faire confiance et, avec le temps, on maintient sa confiance ou on la retire. L'autre ne peut qu'accepter cette perte de confiance. Il ne peut regagner la confiance de l'autre, car au moindre accroc il se fera dire: «Je le savais, tu n'es pas fiable.» Il n'aura pas la marge de manœuvre nécessaire pour faire ses essais et ses erreurs.

Risquer la confiance relève de la logique de voir à soi avec l'autre et de la fameuse règle du respect de l'autonomie dans la coopération, l'autoprotection et la réciprocité.

Une patiente me demandait comment elle pouvait me faire confiance. Je lui ai répondu qu'elle devait risquer cette confiance. Elle savait que je fais partie de l'ordre professionnel des médecins et elle pouvait vérifier mon accréditation. Par ailleurs, pour nos échanges, nous pourrions nous donner cette règle: lorsqu'elle se sentirait blessée par moi, elle m'en informerait et je ferais de même de mon côté; s'il n'y avait pas de remarques de part et d'autre, c'est que tout allait bien dans nos rapports. Enfin, nous pourrions, à chacune de nos rencontres, évaluer si nous atteignions l'objectif du traitement ou si nous étions dans la bonne direction. Comme il est bon d'avoir un tiers lorsqu'on craint l'autre, elle pourrait toujours rencontrer l'infirmière de l'équipe.

Le patient, comme l'enfant, peut croire qu'il ne peut discuter de son sentiment d'être subjugué ou traité injustement sans risquer de perdre le soignant ou le parent dont il a tant besoin.

Il importe donc d'assurer à tous la possibilité d'accès à un tiers pour discuter de la règle relationnelle. Actuellement, on n'a que des lieux de plaintes pour aborder cette règle, ce qui ne favorise pas l'assainissement des rapports.

La fermeture bipolaire et l'action réfléchie

Le diagnostic de trouble bipolaire a connu une hausse remarquable depuis son entrée dans le DSM-IV.

Sans nécessairement remettre en question ce diagnostic, on doit reconnaître que la culture populaire définit facilement la valeur des personnes par leurs succès et leurs échecs.

Voici un tableau qui illustre ces perceptions, lesquelles peuvent enfermer les acteurs dans ce ballon que j'appelle *L'enfermement dans le tout ou rien,* avec ses hauts et ses bas marqués.

Dans une optique différente, celle des gens qui se préoccupent de leurs rapports avec les autres et se maintiennent dans l'action en évaluant et en assumant les risques de leurs essais, nous retrouvons cet autre modèle: *L'ouverture sur l'action réfléchie* avec ses multiples options b.

CE QU'IL NE FAUT PLUS FAIRE	CE QU'IL FAUT ESSAYER
L'enfermement dans le tout ou rien	L'ouverture sur l'action réfléchie avec essais et erreurs.
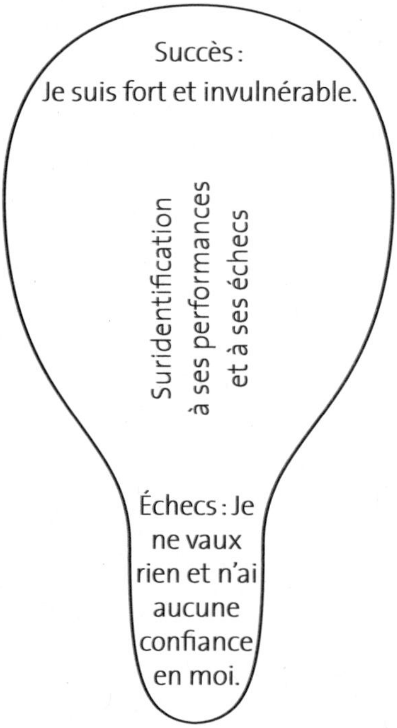 Succès : Je suis fort et invulnérable. Suridentification à ses performances et à ses échecs Échecs : Je ne vaux rien et n'ai aucune confiance en moi.	Éthique de la réciprocité et RRAV* 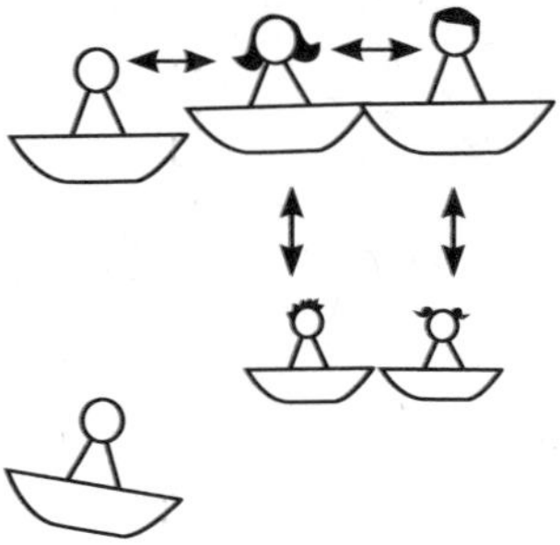 Arrêts à prévoir** pour la circulation de l'information*** et le renouvellement de l'énergie

*Règle de respect de l'autonomie et de la vulnérabilité de chacun.

** Ils sont possibles grâce à la pratique de la méditation de pleine conscience.

*** La circulation de l'information provient de l'intérieur comme de l'extérieur du sujet.

4e PARTIE

LES TROIS NIVEAUX DE PRÉVENTION DU SUICIDE

CHAPITRE 12

Premier niveau de prévention : en amont du suicide

Comment prévenir le suicide

Je propose ici des pistes de prévention primaire qui permettront aux parents de faire en sorte que leurs enfants ne s'engagent pas dans les chemins de la maladie et de la mort par ignorance de la spirale de la récursivité dans l'auto-organisation.

Il revient aux parents de décider de créer un milieu familial sans violence

Précautions préalables

Dans un milieu où les rapports «*up/down*» sont devenus rigides, c'est-à-dire où la personne en position basse ne peut plus donner son point de vue, il est impossible de discuter d'un nouveau code d'éthique familial, comme l'élimination de la violence dans la famille, sans risquer des explosions de violence. Il est alors nécessaire d'avoir accès à un médiateur – professionnel de la santé ou médiateur légal. Lors d'une crise, il devient possible de discuter de la situation si la personne en position basse est à même de quitter les lieux si la rencontre ne tourne pas bien, comme dans les urgences, ou si elle a un autre endroit où habiter.

Un changement doit également être amorcé lorsqu'un parent se voit dans l'obligation de protéger un enfant de la violence de l'autre parent. Il doit informer le parent violent que cette approche est inacceptable. Il ne peut cependant faire cette remarque que si sa propre sécurité physique est assurée. Autrement, il doit quitter avec les enfants les lieux de vie communs, à l'insu de l'autre parent, vers une ressource appropriée. Une rencontre avec le parent violent devrait pouvoir se faire alors dans un lieu sécuritaire, comme une urgence psychiatrique ou un centre de crise où l'on assure la sécurité de tous. Le parent en position haute devrait être accompagné par une personne de son choix et ne pas être laissé seul, car il pourrait avoir l'impression de perdre son identité de personne valable en perdant son trône de roi, sur lequel la personne soumise l'a involontairement posé, et s'en prendre à lui-même avant ou après s'en être pris aux autres. C'est le pôle extrême d'une situation où la violence est installée et où elle ne peut plus faire l'objet d'une discussion civilisée entre les deux protagonistes seuls.

On banalise facilement l'utilisation de moyens violents dans les familles. On met habituellement ces gestes violents sur le compte de l'émotion, de l'indignation ou de la maladie. « Je vais te tuer ! » peut crier un enfant à son frère, et en être excusé en raison de sa colère.

Les émotions peuvent nous amener à faire des gestes condamnables. Dans notre monde de plus de 7 milliards d'habitants, si l'éducation est un critère de qualité d'un pays, l'éducation aux émotions devra aussi le devenir. Comment gérer ses indignations, ses sentiments d'injustice, sans violence ?

L'ARTISTE SOUFFRANT DE SCHIZOPHRÉNIE

Je me souviens d'un de mes patients que je suivais pour schizophrénie. Il me dit lors d'une rencontre qu'il avait découvert la source de ses problèmes et le pourquoi de son impossibilité à faire une carrière d'artiste. C'était la faute de son ami d'enfance, et il devait aller le tuer pour se libérer. Lorsqu'il m'a entendue dire que c'était un meurtre qu'il voulait commettre, peu importe ses raisons, et qu'il nous appartenait d'avertir son ami du danger qu'il courait, il est revenu à lui-même et a accepté de s'impliquer dans des activités de réadaptation. Il venait de réaliser en effet que sa maladie l'amenait à toujours se sentir méfiant, et que ce n'était pas en tuant cet ami dont il ne connaissait même pas l'adresse que sa méfiance disparaîtrait.

Même dans la maladie, si l'on a appris que les moyens violents sont interdits, on peut apprendre à gérer autrement ses états d'âme et ses impulsions.

Voyons maintenant comment des parents vivant dans des rapports qui permettent encore des échanges sur leur façon d'élever les enfants peuvent amorcer la discussion pour installer un contexte sain et permettre les rééquilibres équitables lors de différends.

Conditions préalables à toute discussion de couple (avec ou sans enfants) si l'on souhaite que l'échange soit rentable

1) *Profiter de la lecture d'un livre*, de l'écoute d'une émission de télévision ou d'une conférence pour aborder le concept de contexte familial sans violence. Quand il s'agit de remettre en cause des habitudes installées depuis longtemps, il vaut toujours mieux que l'inspiration vienne d'un tiers. En état de crise, on ne peut plus changer la règle relationnelle de l'intérieur. Le tiers externe est essentiel.
2) *Avoir fait le point soi-même* sur ce qu'on ne veut ni ne peut plus continuer : une discussion sérieuse ne peut avoir lieu lorsqu'elle provient uniquement de la route basse (la voie émotionnelle). On apprend à faire ses propres réflexions seul ou avec d'autres sur ses sentiments d'indignation, mais on évite de diaboliser l'autre parent. Les enfants ne peuvent être pris en otage, et c'est leur donner un contexte malsain que de ne pas chercher un terrain d'entente. L'intérêt des enfants est prioritaire, car ils ne sont pas à même de se protéger ni de remettre en question la règle relationnelle. On ne reste pas dans l'indignation, on cherche des compromis sans lésiner sur l'élimination des moyens violents.
3) *Éviter tout chantage* par des menaces de départ, de rejet, d'abandon ou de fuite : avoir des enfants en commun oblige à rester en communication les uns avec les autres. On doit sauver la relation avec les enfants tout en vivant si nécessaire sous deux toits et en mettant fin au couple, mais on ne peut mettre fin à l'entente entre les parents. Malheureusement, une fois est déjà de trop : un parent abandonnera ses enfants en blâmant l'autre parent de l'avoir abandonné lui-même ou de s'être approprié les

enfants; ou encore, un parent choisira la solution catastrophique de s'enfuir avec ses enfants. Nous sommes ici dans la prévention de ces catastrophes.

4) *Accepter que nos solutions ne peuvent être imposées*; elles ne peuvent qu'émerger d'échanges survenus dans un esprit de respect.
5) *Accepter les pertes possibles* en abordant une situation qui ne peut plus durer et, paradoxalement, ne jamais atteindre le moment où une situation est devenue si insoutenable qu'elle ne peut plus durer.
6) *Voir la solution comme un processus*, non pas vers une cassure, mais vers des liens plus souples dans un nouveau contexte de gestion.
7) *Vouloir prouver qu'on a raison nous conduit directement chez les gens de loi*; l'équité est à un autre niveau et est beaucoup plus **juste**, car elle ne respecte pas seulement les lois, mais elle relève d'une approche **honnête** entre les personnes impliquées.

La discussion ne doit donc pas contenir d'attaque ni de blâme, mais mentionner le modèle de respect auquel on désire se conformer, quitte à reprendre à un autre moment si l'émotion est trop forte et empêche des échanges respectueux. On commence à un moment propice pour la discussion en utilisant le «Je» pour la proposition principale, par exemple: «Je m'aperçois en lisant ce livre que j'ai tendance à protéger les enfants contre les remarques blessantes que tu peux leur faire. Et, sans nous en rendre compte ni l'un ni l'autre, je suis en train de faire de toi un méchant père et de moi une bonne mère.» Il ne faut surtout pas tomber dans le blâme en disant à l'autre: «Tu es violent et il faut que ça cesse.»

C'est en prenant la responsabilité du maintien du comportement de l'autre que l'on peut aborder le changement du code relationnel. La mère de Mélanie (voir page 13) a pu prendre conscience qu'elle maintenait l'abus dans sa famille en prenant la position de la victime. Elle voulait reconnaître son erreur et n'avait pas réalisé qu'en endossant le rôle de fautive, elle ne faisait qu'entretenir des rapports d'abus dans la maison. Reconnaître une erreur n'est pas faire de soi-même une erreur. Si les autres veulent faire de la personne fautive une erreur, cette dernière se doit de quitter la maison pour son bien et celui de tous, avec des compensations équitables.

La collaboration est donc nécessaire pour intégrer un nouveau code. On doit se rappeler qu'un changement d'habitudes prend quelques mois et qu'il peut y avoir des ratés. Les différends non réglés sont sournois et deviennent à notre insu comme des bombes à retardement, pour exploser au pire moment. La peur des uns à l'égard des autres doit être éliminée et remplacée par le respect des limites de chacun. Vivre dans la peur est vivre dans la violence.

MARIE

À 52 ans, Marie décide de quitter son mari en l'accusant d'intimidation, alors que ce dernier n'avait pas conscience de ses propres comportements. Marie s'était tue pendant des années, car elle était incapable de parler de ses frustrations et de son sentiment d'être contrôlée. La règle était celle du mari qui devait rendre sa femme heureuse ; toute remarque de cette dernière sur ses déceptions devenait un blâme de l'autre qui, pourtant, était convaincu qu'il ne pouvait faire plus pour contenter sa femme. Il en était venu à l'empêcher de parler sans s'en rendre compte par l'étalage de ses bonnes actions.

Éliminer la violence interpersonnelle dans une famille oblige à trouver un autre groupe de valeurs, telles que la sollicitude et l'autoprotection. On pourra à cet effet consulter le tableau de ce qu'il ne faut plus faire et de ce qu'il faut essayer (voir chapitre 11, page 94). Le signet de « Pas de blâme ni envers soi, ni envers les autres, ni de la part de l'autre ; *time-out* dans l'amour » est à coller sur la porte du réfrigérateur ou sur le miroir de la salle de bains.

Discussion sur l'option suicidaire

Dès l'âge de raison (l'âge où le lobe frontal est plus développé, vers sept ou huit ans), il est bon de discuter de l'option suicidaire lors d'un incident où l'enfant en colère dira qu'il va se tuer, ou tuer sa sœur contre qui il est fâché. La discussion n'a pas à être longue, mais doit permettre d'introduire la notion de la réciprocité, à savoir comment l'enfant se sentirait si maman ou papa parlait de se tuer dans des moments difficiles. Ce serait tuer son papa ou sa maman, de la même manière que lui parle de tuer leur petit garçon ou leur petite fille. Il est bon de suggérer aux enfants de s'accorder un moment de répit quand on est très fâché, en observant sa respiration. C'est encore mieux quand les parents mettent régulièrement cette attitude en pratique. La prévention primaire du suicide ne nous préserve jamais à 100% du risque de suicide. L'imprévisibilité de l'être autonome demeure. Toutefois, on peut s'assurer, lorsqu'on craint le pire, qu'on est toujours dans le code de l'autoprotection et que « pas de nouvelles veut dire bonnes nouvelles ». On peut parler de ses craintes et rappeler l'éthique de la réciprocité et la nécessité de ne jamais être seul dans la détresse.

CHAPITRE 13

Deuxième niveau de prévention : lors de la crise suicidaire

Comment installer un contexte de coopération lors d'une crise

Ce chapitre s'adresse à la fois aux bénéficiaires de services et aux cliniciens. Ainsi informés, les acteurs impliqués pourront en arriver plus rapidement à travailler ensemble dans la coopération.

La personne suicidaire, avec ses **problèmes de santé et de sécurité**, se retrouve soudainement, lors de sa crise suicidaire, en interaction avec divers intervenants qu'elle n'avait surtout pas pensé à convoquer. Elle est en territoire étranger, ou a été envahie chez elle dans son intimité. Elle ne peut plus s'isoler ni se cacher. Elle ne peut plus s'en tenir à son propre programme. Elle doit s'entendre avec les siens et les professionnels de la santé sur les risques de la marche à suivre pour résoudre la crise de façon sécuritaire. Enfin, tous ces acteurs ayant déjà leur propre programme, leurs croyances et leurs attentes, doivent continuer à s'entendre en tant que partenaires sur les processus de changement, dans le **respect de l'autonomie et de la vulnérabilité de chacun** et dans le cadre d'une **éthique familiale et professionnelle fondée sur des valeurs de non-violence**.

Cette approche dans la coopération de tous les acteurs consiste en une approche tridimensionnelle, illustrée dans le schéma de la page suivante.

Les trois volets concomitants de l'intervention de crise

Pathologies
Sécurité
Contextes
d'autoprotection

Acteurs impliqués
et à impliquer dans
le partage des risques
lors des décisions
concernant
l'autoprotection

Suivi du traitement
et du contexte
d'autosoins et
d'autoprotection

Un mot sur le ***momentum* de la crise** pour comprendre l'importance d'aborder simultanément, d'une part, les symptômes de la personne suicidaire, sa sécurité et le partage de risques, et, d'autre part, la mise en place et le suivi des contextes de coopération dans une approche d'autosoins et d'autoprotection.

«*Momentum*» est un mot latin utilisé dans la langue anglaise pour décrire à la fois la vitesse d'une masse (V x M), un mouvement et son point culminant, un point de rupture (*tipping point*), un moment sensible, le moment où on s'engage dans une direction plutôt que dans une autre. On pourrait le traduire en français par l'expression «moment clé».

La première crise suicidaire est un moment clé: là s'installe la règle qui prévaudra dans les échanges entre les acteurs, maintenant et à l'avenir. Cette règle, si elle ne fait pas l'objet d'une entente de concertation sur l'éthique de réciprocité dès les premiers contacts, risque d'être remplacée par la surprotection du suicidaire dans le but d'assurer sa sécurité, comme nous en avons discuté plus haut, ou par la banalisation du geste. Pour assurer la protection du suicidaire avec sa participation, les rencontres de concertation doivent se faire dès le début, alors que les jeux s'installent. **Faire du suicidaire un protégé pour miser, dans un premier temps, sur l'effet des traitements présente des risques réels si l'on tient compte à la fois de**

la récursivité dans les apprentissages et des effets paradoxaux des bonnes pratiques mentionnés plus haut. Ne pas reconnaître le désespoir derrière la menace ou le geste suicidaire est voué aux pires scénarios. Le suicidaire apprend à être l'objet de nos traitements. S'installe alors, à notre insu, le jeu du chat et de la souris, où la souris apprend vite à déjouer le chat. Tous perdent la posture de sujet et deviennent objets des autres dans ce jeu fermé. Le suicidaire chronique est celui que nous avons rendu habile à nous déjouer. On peut comprendre que l'intervenant finisse par se sentir découragé de devoir protéger son suicidaire, et que ce dernier parvienne à gagner.

Pathologies, sécurité, autoprotection

Demander à une personne de mettre fin à ses idées et à ses menaces de suicide sans aborder la complexité de la situation est voué à l'échec. Utiliser le *momentum* pour rencontrer tous les acteurs concernés et discuter des enjeux pour nous insérer dans un tout autre jeu en vaut le coût. Bien sûr, c'est un grand investissement dans les 48 premières heures, mais cet investissement peut rapporter au centuple et nous éviter certainement les sables mouvants des thérapies se déroulant dans des contextes protectionnistes.

Si le patient suicidaire refuse de participer à cette démarche, un psychiatre expérimenté peut toujours faire valoir l'impossibilité de prédire un suicide et le fait qu'il n'est pas en train de banaliser un tel geste de détresse. C'est la période « d'état de siège ». Il est toujours fort délicat d'informer les personnes clés de l'entourage du patient sans son accord, même si le médecin y est autorisé dans une situation de danger. Mieux vaut attendre d'en arriver à une décision commune pour communiquer avec eux et se donner le temps de réfléchir sur nos états d'impuissance respective.

Dans une logique de la complexité, lors de ce moment clé qu'est la crise suicidaire, les proches en présence des professionnels de la santé ne peuvent plus aborder le suicidaire sans l'impliquer à part entière dans le processus de réorganisation. Il ne s'agit pas de nier les symptômes ni l'importance de la sécurité du sujet, mais bien de faire appel à son engagement, comme à celui de ses proches et des professionnels de la santé. C'est un moment clé de vrai changement, de changement dans le ton des échanges, à partir des limites de chacun, et non de pseudo-changement (de modifications effectuées tout en continuant de contrôler l'autre ou d'ignorer ses préoccupations en faisant valoir les bonnes intentions et les bonnes pratiques). Nous ne pouvons plus régler nos problèmes ainsi : nous y perdrons tous dans ce modèle explosif. Le changement de ton aura lieu si le professionnel de la santé refuse de s'engager dans un contexte conflictuel, s'il se rappelle que traiter un patient dans un tel contexte est voué à l'échec. C'est le nouvel arrivant qui peut redéfinir la règle relationnelle, celle de la coopération. « Je suis prêt à travailler avec vous, mais je serais malhonnête de vous faire croire qu'en traitant uniquement votre maladie nous pourrions en arriver à quelque chose de certain, à un nouvel équilibre sans option suicidaire. »

À partir de deux cas cliniques, voyons comment les choses peuvent se passer selon qu'on aborde simultanément ou non la personne suicidaire et les siens pour installer un contexte favorable au respect de l'autonomie de chacun. Les trois volets de la **pathologie**, de la **sécurité** et de l'**autoprotection** sont indissociables lors de l'intervention de crise. On doit établir les faits et les priorités avec les personnes concernées, dans un esprit de concertation sur l'autoprotection.

Approche classique sans concertation

Reprenons l'histoire d'Oscar (voir page 33), notre patient qui veut tant rester à l'hôpital, pour nous entendre sur ce qu'il ne faut plus faire, même quand on applique les protocoles de bonne pratique.

OSCAR (SUITE)

Oscar souffre de dépression. Sur l'échelle de dépression PHQ-9[82], il obtient 18, ce qui le situe dans le groupe des dépressions relativement graves, et il présente les signes clés de la dépression : perte de plaisir et perte d'intérêt. Il se dit plus déprimé depuis les trois derniers mois, mais il est impossible d'attribuer cette dépression à des circonstances de vie. Oscar semble avoir des intentions secrètes d'obtenir une résidence et ne veut pas préciser les événements de sa vie, ce qui diminue la valeur de l'évaluation des symptômes et des signes de dépression. Son incapacité à s'exprimer dans une des deux langues officielles nous oblige à avoir recours à un interprète si l'on veut faire une entrevue plus élaborée, ce qui rend par ailleurs cette évaluation fort ardue.

Les **risques suicidaires** sont objectivement élevés, puisque Oscar présente plusieurs facteurs de risque et aucun de protection : tentative de suicide antérieure, deuxième visite aux urgences en 10 jours, perte d'espoir, abus d'alcool, isolement, rejet des siens tout en étant soutenu par ces derniers dans sa demande de résidence en milieu hospitalier, son sexe masculin et son âge, 52 ans. Il finit par être hospitalisé, davantage en raison des craintes qu'il suscite que d'indication de traitement intrahospitalier. Tous se sentent obligés de le protéger plutôt que d'être appelés à travailler avec lui. Le rapport thérapeutique ne favorise pas sa participation au succès des traitements.

Au cours de l'hospitalisation, les signes de dépression disparaissent vite et il n'y a pas congruence entre les signes et les symptômes de la dépression. On lui donne son congé après quatre semaines, sans s'être entendu avec lui et son entourage sur les objectifs des interventions au regard de ses besoins. Oscar se dit insatisfait des services reçus. Un rendez-vous de suivi avec une intervenante lui est donné dans les semaines après son départ. Il a rencontré cette intervenante au cours de son hospitalisation et elle lui a offert de le voir, si nécessaire, avant la date fixée de son rendez-vous. Les protocoles élaborés pour la protection du suicidaire sont appliqués à la lettre.

Dans la semaine qui suit sa sortie de l'hôpital, il ingurgite tous ses médicaments avec de l'alcool. Le voisin s'inquiète de ne plus l'entendre et fait venir les secours. Il est ramené à l'hôpital dans un état intoxiqué pour lequel on doit le garder plus de 24 heures sous surveillance médicale.

On hospitalise Oscar à nouveau au service de psychiatrie pour écarter le risque d'une nouvelle tentative. Le personnel reste distant et se résigne à demander à la travailleuse sociale de lui trouver un hébergement approprié. Les menaces de suicide et la tentative récente, les abus d'alcool, l'usage du tabac, les difficultés de communication rendent la recherche d'une résidence virtuellement impossible. Il ne correspond à aucun critère, mais il est porteur de plusieurs diagnostics. Il ne peut convenir à aucune classification en raison même de ces multiples diagnostics ; il n'est pas intéressé à un programme de réadaptation pour ses abus et sa dépendance à l'alcool ; son manque de motivation à changer ses réactions d'autodestruction lors de moments de frustrations fait de lui un pauvre candidat pour le réseau hospitalier des résidences.

Bref, Oscar fait maintenant partie des listes d'attente de résidences virtuelles à créer. Tous sont enfermés dans un contexte pathogénique où tout essai de changement n'entraîne qu'un peu plus d'enfoncement dans ce contexte malsain.

Étapes de la proposition d'éthique de la réciprocité et de l'autoprotection

Comment assurer la sécurité du suicidaire sans l'enfermer dans un contexte pathogénique ?

Résumons d'abord le mode actuel d'évaluation psychiatrique aux urgences : un problème complexe avec symptômes psychiatriques, suicidaires ou non, finit habituellement dans un lit d'hôpital ; on ignore de bonne foi les problèmes reliés au **contexte relationnel**, pour s'en tenir au traitement des symptômes.

L'ignorance du manque de coopération entre gens autonomes pousse les acteurs dans un *no man's land* où chacun, pour sa survie, doit composer tant bien que mal avec les personnes en place pour miser sur les traitements, qui deviennent trop souvent inefficaces. La loi du silence s'installe sur la perversité des jeux interpersonnels, car on ne peut plus remettre en cause la nature et les règles du jeu. Ou on y joue, ou on en est exclu. C'est un sauve-qui-peut dans les preuves de qui a tort et qui a raison. On y perd progressivement sa compassion et la perspective de sa mission. Le mot d'ordre : continuer à faire comme si tout était sous contrôle. Les communications deviennent inefficaces. Les crises se multiplient.

Bien sûr, on tentera de faire des rencontres de concertation pour arrêter ces jeux sans fin, mais ces rencontres, faites sans conviction, ne servent qu'à nous donner bonne conscience puisqu'elles ne ciblent pas le changement des règles relationnelles. Ces règles découlent de la mentalité protectionniste environnante plutôt que du respect de la vulnérabilité de l'autre. Il est donc d'autant plus difficile de les modifier que la personne protégée a même développé une identité de protégé et est confirmée dans cette identité par ses protecteurs, qui tirent eux aussi leur identité de protecteurs de leur protégé. L'ensemble est bouclé par les diagnostics psychologiques et psychiatriques les plus divers.

Offre d'hospitalisation pour la protection du patient suicidaire dans un contexte d'autoprotection

Offrir un environnement sécuritaire à l'hôpital ne veut pas dire qu'il appartient au personnel d'assurer la sécurité du suicidaire contre sa volonté. Il importe de faire participer ce dernier à sa sécurité dès le premier contact en l'informant qu'ici, nous sommes au fait des limites et des dangers de la protection imposée, tant à l'hôpital qu'à l'extérieur. Bref, on ne pourra l'empêcher de se tuer lorsqu'il sera laissé à lui-même en sortant de l'hôpital ; nous souhaitons par ailleurs travailler avec lui s'il accepte de chercher une nouvelle façon de vivre avec les autres pour ne plus avoir à régler ses problèmes en se tuant ou en blessant les autres. Nous devons reconnaître honnêtement nos limites à le protéger contre lui-même à moyen terme, si l'on vise à respecter son autonomie et ses droits comme personne. Non seulement la famille est invitée à être présente 24 heures sur 24 si elle le souhaite pour travailler avec nous, mais nous ne voyons pas comment nous passer d'elle dans un contexte, bien sûr, de respect des limites de chacun, y compris celles des intervenants.

Les divers symptômes psychiatriques sont déjà évalués et des traitements sont offerts dans ce contexte d'apprentissage à l'autoprotection. Les traitements ne doivent surtout pas être présentés comme une garantie contre le suicide.

Identifier les acteurs

Qui pourrait saboter le plan s'il n'est pas invité à la rencontre de concertation ?

Habituellement, c'est la personne qui se sent comme le protecteur, ou sur qui retombe le problème, ou qui essaie de régler le problème. Ce peut être un soignant, un éducateur, un ami, un membre de la famille. La meilleure des solutions sera sabotée si une de ces personnes clés n'est pas invitée. Elle peut ne pas pouvoir se présenter, mais elle a donné son accord et sera dans le suivi. On ne peut pas imposer un changement, on ne peut qu'inviter toutes les personnes concernées à s'impliquer. Un sentiment d'indignation ou d'injustice chez une personne interpellée pour son aide nous indique que le rapport n'en est pas un de coopération.

> Dès le premier transport d'Oscar aux urgences, la proposition d'un suivi ambulatoire n'avait pas été bien reçue, ni par le patient ni par son entourage. Il est revenu en mettant l'accent sur ses symptômes. À cette deuxième visite, le contexte était clairement devenu malsain. Les intervenants se sentaient manipulés, alors que le patient et les siens se sentaient, incompris.

Voyons comment on aurait pu proposer la coopération. C'est en faisant connaître son incompétence à travailler dans un rapport protectionniste que le médecin décideur doit prendre le temps d'entendre la détresse et l'étendue des symptômes de son patient, pour discuter par la suite de ce qui est envisageable ou non dans les moyens à utiliser pour soulager cette souffrance. L'installation de la coopération englobe l'approche biopsychosociale, mais se situe à un autre niveau et modifie la nature de toutes les interventions.

« Ce n'est pas ce que tu dis qui me blesse, c'est le ton sur lequel tu le dis » est une phrase bien connue. Cet axiome (voir l'annexe « Axiomes de la communication », page 177) amène les experts de la communication à se préoccuper tout autant du ton du message que du message lui-même. On verrait mal un politicien manquer d'enthousiasme au moment de présenter son programme électoral. Son manque d'enthousiasme ferait douter de la valeur de son projet, même si celui-ci était des plus valables. Il en est de même du rapport médecin-patient. Si le patient agace le médecin par ses demandes exagérées, il n'entendra que son agacement, même si le médecin lui prodigue le bon traitement.

C'est dans ce cadre de coopération que se donneront les services. Si le médecin peut décider d'hospitaliser Oscar sans se préoccuper de cette coopération, inutile pour les autres membres de l'équipe de parler le langage de la coopération. « Elle n'est pas essentielle au succès des traitements », signifierait l'approche unilatérale du médecin.

Parler à Oscar seul ne peut mener nulle part. Oscar est soutenu dans ses croyances par ceux qui le côtoient. On nous a même dit qu'il n'a jamais pensé par lui-même. Mais même si ses proches nous avaient dit qu'Oscar était capable de se faire sa propre idée, il aurait été tout aussi indiqué de réfléchir à ses besoins en présence de son entourage. Cette réflexion doit se dérouler dans un climat d'ouverture, avec tous les acteurs concernés par les décisions qui seront prises. **Les traitements ont des chances de fonctionner lorsque la personne souffrante et les siens s'en approprient le succès.** Utiliser la maladie pour avoir accès à un lieu de vie est voué à l'échec à long terme, parce que c'est la maladie plutôt que la vie qui prend alors une place centrale dans les échanges et les priorités.

Comment proposer la règle de la coopération et l'éthique de la réciprocité

C'est en décidant vers où l'on ne veut pas aller que l'on parviendra à travailler ensemble. Oscar, au cours des dernières années, avait trouvé sa solution : crier à tous qu'il en était rendu à devoir se tuer s'il n'obtenait pas une place où habiter, et où l'on pourrait compenser pour ses difficultés d'adaptation. L'équipe ne pouvait pas accepter ce raisonnement; cela aurait signifié se diriger dans un cul-de-sac. C'est ce moment d'impuissance que le décideur doit apprendre à utiliser, malgré l'apparence de paradoxe dans la situation. Mieux vaut ne pas agir que d'aller d'un pas ferme vers une impasse. « Nous ne pouvons satisfaire vos demandes telles que vous les formulez, mais nous devons trouver ensemble des solutions satisfaisantes pour toutes les parties. Nous comprenons que vous êtes souffrant et que vous avez besoin d'un changement dans votre vie. Nous ne pouvons pas vous empêcher de vous tuer à un moment ou un autre, et nos études scientifiques nous permettent de reconnaître le risque suicidaire que vous présentez. Nous pouvons seulement vous aider à apprendre à vivre et à vous comprendre avec les vôtres si vous-même le souhaitez. » C'est ce qu'on appelle de nos jours l'**approche du Rétablissement**. Le patient apprend à accepter l'aide des professionnels de la santé et des éducateurs pour retourner à une vie active, une vie de participation à son milieu.

Oscar avait 52 ans et souffrait de multiples troubles physiques. S'il avait été un vieillard malade, on aurait pu penser aux soins palliatifs, un contexte dans lequel on oublie la réadaptation et on protège la personne puisque la mort n'est pas loin. Oscar avait des enfants, dont un était suicidaire. En travaillant avec Oscar et la mère de ses enfants, nous aurions touché bien des personnes. Nous aurions saisi cette approche de vie et de réorganisation de sa vie avec ses limites et tous ses possibles, en travaillant en équipe.

Une nouvelle orientation dans les efforts de tous à apporter un changement prend quelques jours à quelques semaines de réflexion. Avons-nous les ressources suffisantes pour des soins palliatifs alors que le sujet n'est pas mourant? **Un suicidaire n'est pas un mourant, même s'il se trouve dans le labyrinthe de la mort, même s'il évolue dans les divers chemins où vouloir se donner la mort prend tout son poids.**

Nouvelle approche avec concertation

RENÉ ET ODILE

René, 34 ans, alcoolique et polytoxicomane, est en arrêt de travail depuis six mois. Il est amené aux urgences après avoir frappé sa femme Odile et tenté de se tuer avec un couteau de cuisine. René travaille dans un centre de réadaptation pour jeunes et connaît bien le « b. a.-ba » des services offerts aux suicidaires. Ce qui s'avère un avantage comme un inconvénient dans l'évolution des difficultés de René et de sa conjointe, comme nous pourrons le constater dans l'évolution du problème et des interventions.

Aux urgences, l'équipe psychiatrique, cette fois, a à la fois entendu le problème et examiné les symptômes. L'avantage d'être un intervenant en difficulté aux urgences, c'est qu'entre intervenants, on se parle spontanément de nos problèmes. On installe d'emblée un rapport de coopération. Le couple a accepté d'être vu dans un suivi intensif d'intervention de crise.

René reconnaissait bien qu'il était devenu incapable de modérer sa consommation d'alcool, mais il se disait également incapable d'aller boire à l'extérieur en raison de son agoraphobie grandissante. Son agoraphobie l'empêchait souvent d'aller voir son médecin et son psychothérapeute. Il persistait à demander à sa femme de le comprendre et d'accepter les limites que lui imposait cette agoraphobie. Pour sa part, Odile voulait aider René, et s'était laissée convaincre par lui qu'on ne cesse pas subitement de boire et qu'on doit considérer la maladie psychiatrique en premier lieu.

Le risque quand on vit avec un intervenant en santé ou quand on en est un soi-même, c'est de s'obliger à accepter l'inacceptable en le mettant sur le compte de la maladie, à moins qu'on n'ait déjà réfléchi sur le protectionnisme et ses avatars. Mais revenons à notre histoire.

Son agoraphobie s'aggravant, René devait boire à la maison de plus en plus souvent, et c'est alors qu'il s'en prenait à sa femme qui, malgré ses bonnes intentions, manifestait son irritation par son attitude devant ce mari enivré. Elle allait dans les groupes de familles d'alcooliques et tentait d'appliquer ce qu'on lui conseillait, ne pas cacher l'alcool par exemple, mais elle ne réussissait pas à masquer sa déception et son désespoir devant son mari, habitué à détecter son langage corporel. Le couple se retrouvait à la case départ, dans des échanges dangereux de mots et de coups auto- et hétéro-agressifs.

René n'était pas un manipulateur antisocial, mais il avait subi cela avec les jeunes qu'il aidait: devoir se laisser violenter par les personnes aux prises avec des problèmes de toxicomanie et autres maladies psychiatriques, pour leur permettre de parler des souffrances cachées derrière leurs comportements agressifs. C'est ainsi qu'il imposait à sa femme sa consommation à domicile et ses abus, en misant sur l'amour qu'elle lui portait. Il ne planifiait pas d'abuser d'elle, mais il disait plutôt réagir aux abus et au rejet de sa femme, qui refusait en quelque sorte de lui apporter le soutien dont il avait besoin en ne l'acceptant pas inconditionnellement.

Par ailleurs, les conditions pour l'intervention étaient ici favorables pour tous, patients et équipe ayant été consultés pour aborder l'entraide dans une logique d'ouverture. Le couple pouvait parler de ses attentes, des valeurs liées à la compassion et à l'empathie, avec des professionnels de la santé. Ils n'étaient plus enfermés dans leur logique mortifère d'amour. Nous pouvions ensemble discuter de la règle à mettre en place dans un rapport de mutualité. L'équipe ne prenait pas une position supérieure, mais extérieure pour partager les risques de l'autoprotection, en opposition avec ceux du protectionnisme. Les deux membres du couple lui donnaient le mandat de les aider dans ces rencontres de réflexion sur la règle interpersonnelle pour éliminer tout abus dans les démarches thérapeutiques entreprises. René et Odile ont pu travailler ensemble, en suivant l'entente sur le respect de la limite de chacun. René s'est engagé à se protéger lui-même en suivant un plan de sécurité (comme le plan de sécurité de l'armée américaine de Barbara Stanley; voir page 161). Il a ainsi pu surmonter son agoraphobie en allant chercher l'aide des services de réadaptation en toxicomanie. Il a repris son travail quelques mois plus tard en essayant d'aider les jeunes autrement et en s'inspirant de divers thérapeutes systémiciens afin d'aborder les obstacles organisationnels.

Pour économiser temps et énergie, il nous faut prendre le temps de nous inspirer de notre fatigue à frapper le même mur.

Le suivi pendant quelques mois

Il faut prévoir une période d'environ trois mois d'apprentissage selon un nouveau code relationnel pour **rentabiliser** les 48 premières heures d'investissement dans la mise en place d'un contexte de coopération. C'est l'esprit du tiers proposant la nouvelle règle de coopération dans la réciprocité qui importe. Il peut n'y avoir que des contacts téléphoniques, mais une deuxième rencontre doit être proposée à la suite du premier contact. Retomber dans ses anciennes habitudes est beaucoup plus difficile lorsque les personnes clés font partie du nouvel apprentissage et qu'un tiers externe est inclus dans le groupe.

Pour aider l'apprentissage, rien de mieux que de remettre aux protagonistes :

- *la liste des valeurs (voir chapitre 11) : Ce qu'il ne faut plus faire/ ce qu'il faut essayer;*
- *l'ordonnance sur l'interdit du blâme avec ses trois volets : « Ne plus se blâmer, ne plus blâmer les autres, ne plus se laisser blâmer », à mettre bien en évidence à la maison;*
- *l'ordonnance lors des moments de tension : « Time-out dans l'amour », à mettre bien en évidence à la maison;*
- *le titre d'un livre sur la pleine conscience qui contient un CD d'exercices (voir les suggestions à la note 73), pour passer du*

concept de la méditation de pleine conscience à la pratique; durant la rencontre, enseigner cette technique aux personnes présentes, en pratiquant pendant quelques minutes l'observation de sa respiration.

Pour les gens croyants: leur demander ce qu'ils utilisent pour se détacher de leurs états émotifs négatifs et pour retrouver leur sérénité en toute connaissance de cause lorsqu'ils sont confrontés à un problème. En d'autres termes, quelles sont leurs habitudes pour réfléchir sereinement aux problèmes qu'ils rencontrent? Par exemple, certains prieront chez eux, alors que d'autres iront à l'église pour retrouver leur calme et leur compassion; ces façons de faire peuvent avoir un effet semblable à l'observation de la respiration.

On peut aussi proposer au suicidaire le plan de sécurité suggéré par Barbara Stanley de l'Université Columbia. Ce plan doit être vu avec le patient; il ne faut que 30 minutes pour cela[83]. Les étapes du plan sont les suivantes:

1) Reconnaître les signes annonciateurs d'une crise suicidaire;

2) Utiliser ses propres stratégies;

3) Contacter des amis pour se distraire;

4) Contacter des membres de la famille ou des amis pour résoudre la crise;

5) Contacter des professionnels de la santé ou des centres de crise;

6) Éliminer les moyens pour se suicider.

Le plan aide le suicidaire à prendre d'abord des moyens personnels pour se calmer. Ce n'est qu'à l'étape 5 qu'il appelle un soignant, tout en sachant dès l'étape 1 que cette possibilité d'appel est bien là.

Par ailleurs, il serait particulièrement intéressant de mener des recherches sur ce qui est le plus efficace pour l'apprentissage par les familles lors d'une approche de coopération dans la réciprocité:

- *apprentissage avant les crises suicidaires;*
- *apprentissage lors d'une première crise, et les risques de mauvais apprentissage lors d'une première crise;*
- *apprentissage après plusieurs crises.*

Pour faciliter ces recherches épidémiologiques et cliniques, il devient essentiel de se donner un vocabulaire commun des termes à utiliser concernant les comportements suicidaires. L'échelle de l'Université Columbia a été validée et mérite d'être connue par la majorité des soignants et des chercheurs (voir Posner K. *et al.* dans la note 83).

CHAPITRE 14

Troisième niveau de prévention : là où l'auteur ne veut plus être

Là où je ne veux plus me retrouver, c'est dans une histoire comme celle d'Oscar. Oscar a pensé longtemps au suicide, mais il est devenu suicidaire chronique pour de bon lorsque les services de santé se sont impliqués dans un mode protectionniste avec lui – une spirale qui s'installe avec son propre mouvement. Tout soignant tentant de changer le rapport rebondira contre une barrière de caoutchouc. C'est « là où les anges n'osent pas mettre le pied[84, 85] ».

Voici donc le but de cet ouvrage : faire en sorte de parler de notre impuissance de soignants sans que cette ouverture fasse de nous des impuissants dans la problématique du suicide. Notre puissance d'aider vient des autres, comme c'est le cas pour tout bon leader. Créer un contexte où toutes les personnes concernées par le suicide de l'un des leurs se sentent parties prenantes de la formulation et de la résolution du problème, voilà notre devoir de « gardien de notre frère ».

JASON

Après une énième tentative de suicide des plus dangereuses et sérieuses, alors qu'il restait hospitalisé à sa demande, Jason me disait clairement que ce ne serait pas mes soins qui l'éloigneraient de son projet. Dès le départ, j'étais d'accord avec lui. « Vous n'avez pas à me le prouver », devais-je lui répéter. Il était évident pour moi qu'il se dirigeait droit vers la mort. Il avait fait le vide autour de lui. Il criait sa révolte de père déchu en raison des préjugés féministes des lois. Comment pourrait-il un jour réfléchir avec son fils sur ces préjugés plutôt que de laisser un père suicidé en héritage à son fils ? Comment aurait-il aimé que son père réagisse dans de telles circonstances ? Jason a alors opté pour se comprendre dans sa révolte autodestructrice. Comme psychiatre, je pouvais valider son hospitalisation, non par ses besoins de traitement, mais plutôt par sa demande de réflexion. Il a eu son congé lorsqu'il l'a demandé. Il voulait continuer en externe avec son psychothérapeute. Je n'ai pu que l'assurer qu'il serait le bienvenu si le besoin de se protéger se faisait à nouveau sentir. Plusieurs années plus tard, j'ai appris qu'il avait choisi la vie.

Un tel dénouement n'est pas certain. Je n'ai surtout pas voulu obliger Jason à me donner les preuves de son potentiel suicidaire et à m'engager à le protéger par mes soins. Jason avait fait le vide, mais il était encore attaché à son fils même s'il n'en avait pas la garde. Je crois qu'il a opté aussi pour la réciprocité dans son rapport avec son fils.

Une personne suicidaire abandonnée des siens et rejetant les siens a certes peu de chances de reprendre les chemins de la vie. On peut toujours compter sur un miracle, mais pourquoi ne pas s'accorder, à l'occasion d'un suicide parmi nos proches, un moment de réflexion avec les autres pour ne plus s'isoler avec ses problèmes dans le tunnel suicidaire ?

L'ORAISON FUNÈBRE

Mario, 19 ans, a été retrouvé mort dans un parc, victime d'une surdose de cocaïne. Il venait de sortir d'une maison de réadaptation où il avait séjourné pour traiter sa toxicomanie. Sa famille était si heureuse de son virage récent ! Quelle ne fut pas sa douleur en apprenant la nouvelle de cette rechute mortelle ! Le compagnon de Mario, Gilbert, trouvé inconscient près de lui, a pu lui survivre. C'était pourtant lui qui avait enfoncé Mario dans sa consommation excessive de drogues à son dix-septième anniversaire, alors que les deux compères se rencontraient pour la première fois. C'est lui aussi qui avait participé, du moins le pensait-on, à sa rechute. Dès son entrée dans le salon funéraire, une onde de désapprobation s'est fait sentir.

Heureusement, c'était le début de la cérémonie de sépulture, après deux heures d'échanges et d'explications balayant tous les registres émotionnels et rationnels. « Il a toujours été un garçon timide et un peu mélancolique ! Il semblait dépassé par la vie. » Un psychiatre, parmi eux, répétait qu'on avait certes ignoré les aspects dépressifs chez ce jeune homme, comme il arrive trop souvent dans cette classe d'individus en raison de la stigmatisation de la maladie mentale. Une jeune fille faisait remarquer que Mario se montrait très inhibé avec les filles. « Était-il un homosexuel qui se reniait ou ne se reconnaissait pas encore ? Gilbert avait eu un tel impact sur lui. » Une autre disait : « Il était tellement anxieux ! Je l'ai vu lors du dernier examen de maths, à 17 ans, suer à grosses gouttes et quitter la salle. » Le père de Mario avait réagi avec beaucoup d'irritation aux propos de son ex-femme, alors qu'elle n'avait pas pu s'empêcher de lui reprocher d'avoir toujours traité Mario sévèrement. « Toi, tu aurais pu moins boire, et Mario aurait appris autre chose que de se geler », lui avait-il rétorqué. Un ancien ami du couple, témoin de cette scène, déplorait en son for intérieur l'incapacité pour ces parents de se réconforter en cette journée si triste, et cette reprise si rapide de leurs querelles, désobligeantes pour tous. Le père de Mario insistait sur le fait que c'est lui qui avait payé pour la réadaptation de son fils dans cette clinique prestigieuse que sa femme connaissait déjà pour y avoir fait elle-même quelques cures. Deux intervenants, venus offrir leurs sympathies aux membres de la famille, n'ont pu alors qu'essayer d'ignorer ces commentaires. Eux-mêmes n'avaient pas été d'accord avec le congé de Mario, qu'ils avaient trouvé précipité après trois mois de cure, alors que le père ne voulait plus continuer à payer.

Les premières prières de l'officiant furent vécues par la majorité comme un moment de soulagement, même par les moins religieux d'entre eux. Le petit singe dans la tête de chacun en profita alors pour supputer ce que l'officiant pourrait dire lorsqu'il en viendrait à parler de Mario. Il allait peut-être clairement dire, pour soulager toutes les personnes présentes : « Aucun d'entre vous n'a à se sentir coupable. Vous avez fait tout ce qu'il vous était possible de faire pour aider Mario, en particulier les parents et les intervenants du centre de réadaptation dans les derniers mois de sa vie. Pourquoi Mario n'a-t-il pas répondu à vos attentes ? Dieu seul le sait. »

Au mieux, il pourrait continuer en mentionnant sa gratitude envers Dieu pour sa bonté infinie et son admiration pour la force qu'il nous donne d'accepter les épreuves auxquelles il nous soumet dans sa grande sagesse, sagesse souvent difficile à décrypter cependant...

Mais déjà l'inquiétude oscillait avec le soulagement. L'officiant accuserait-il subtilement les parents qui avaient divorcé lorsque Mario avait 11 ans, sans cesser pour autant de se quereller en impliquant les enfants dans leurs différends ? Pire encore, parlerait-il du refus du père de continuer à payer pour la cure de réadaptation ? Le père se révoltait déjà à la perspective que l'officiant le blâme plutôt que de souligner l'inefficacité de ces services, comme en faisait preuve l'alcoolisme de la mère de Mario, toujours présent après trois cures de six mois chacune. Le père avait simplement suivi les nouvelles orientations du gouvernement qui ne payait désormais que pour trois mois.

Ou, tout simplement, parlerait-il d'un suicide probable ? Gilbert avait laissé entendre qu'il avait tenté de dissuader Mario de s'injecter une telle dose. Pour la mère, la pensée du suicide était intolérable, car elle-même avait fait deux tentatives et on lui avait dit que les suicides dans une famille pouvaient influencer le suicide des survivants, comme cela avait été le cas pour elle. Son père, alcoolique, s'était enlevé la vie alors qu'elle n'avait que 13 ans. Est-il possible de changer son destin ? Elle-même avait finalement décidé de ne pas se tuer à la demande de sa fille, mais n'avait pas vraiment éliminé cette option, surtout lorsqu'elle était en état d'ébriété.

Allait-il s'en prendre à Gilbert, le dernier à avoir vu Mario vivant ? C'est en fait lui qui avait bouleversé radicalement la vie de Mario, pensait la sœur de ce dernier. Elle l'avait vu le soir de son anniversaire, deux ans auparavant, s'intéresser à Mario, qui semblait touché par l'attention de Gilbert, ce garçon si populaire dans son groupe malgré son manque de succès scolaire. Mario, lui, jusque-là s'était maintenu dans les premiers de classe et il était la fierté de sa sœur, de deux ans sa cadette. Il était si timide qu'il n'avait pas pu se faire d'amis encore dans sa nouvelle école et s'était accroché à Gilbert comme à une bouée de sauvetage, Gilbert qui avait été là lors des derniers moments fatidiques.

L'officiant vint subitement en compétition avec le petit singe de chacun en prononçant le nom de Mario. Il regarda l'auditoire et reconnut la triste journée qu'est celle de sa mort, la mort d'un jeune homme qui avait mis fin à ses jours. « Nous devons prendre le temps d'accepter cette perte, souligna-t-il, et ne pas la nier en cherchant un coupable ou des coupables. Bien sûr, c'est la personne elle-même qui s'est donné la mort soit directement, en prenant une dose mortelle, soit indirectement en prenant des habitudes mortelles. Mais nous ne pouvons ignorer que nous avons tous une influence sur le destin de l'autre, même si Dieu est le maître suprême à bord. Dieu ne voudrait pas nous diminuer dans notre nature d'êtres autonomes en nous enlevant le privilège de choisir notre destin, en ne reconnaissant pas en nous cette capacité. Il nous a accordé une nature qui nous permet à la fois de faire des choix, d'influencer les choix des autres et d'être influencés dans nos choix par les autres. Nos décisions proviennent à la fois de soi et des autres, tout en influençant celles des autres.

« Le chiffre trois est au centre du mystère de la Sainte Trinité, continua-t-il. Le Père et le Fils sont liés dans le Saint-Esprit et ne font qu'un. Le chiffre trois est aussi une donnée essentielle chez l'humain : soi, l'autre et la relation. Ces trois entités sont interreliées au point où l'humain se croit une monade plutôt qu'une triade. Dans la langue basque, on ne dit pas qu'une personne en veut à l'autre, mais qu'elle en veut à la relation. C'est dans cet état d'interdépendance que l'humain agit, alors qu'il tient à son autodétermination pour se sentir valable et ne pense qu'à blâmer soi ou les autres lorsque les choses tournent mal. Comment intégrer le mystère de l'Esprit Saint ? » Le petit singe, tout heureux, se remit à galoper dans la tête de chacun grâce à l'Esprit Saint de l'officiant. On croyait celui-ci parti pour le monde des anges et des archanges. Mais, surprise ! Le prêtre revint lentement à son auditoire avec cette question : « Vous qui êtes là parce que vous êtes touchés par cette mort, comment avez-vous pu influencer Mario à faire ce choix de la mort et des chemins qui y mènent ? Surtout, ne vous plongez pas dans une culpabilité pétrifiante, mais permettez-vous d'essayer de distinguer, dans cet esprit d'interdépendance, les chemins de la vie des chemins de la mort, qui sont habituellement beaucoup plus faciles à voir en raison de l'effet d'entonnoir qu'ils entraînent. Nous ne pouvons ramener Mario à la vie, mais nous pouvons tirer des leçons de ses expériences telles que nous pouvons les supposer, réfléchir à ce vers quoi il ne faut plus aller.

«Voici un conseil un peu particulier pour que cette réflexion nous permette d'aborder la complexité de l'humain. Sortons d'abord de l'erreur dans laquelle Descartes nous a plongés au cours des derniers siècles en ignorant les liens et les contextes qui transforment tout ce qui est vivant pour nous maintenir dans cette illusion de la cause initiale unique. Les experts de la complexité, pour illustrer la différence entre deux moteurs d'action puissants, l'énergie, la cause initiale, et l'information, au centre des interactions et des rétroactions complexes, proposaient cet exemple : donnez un coup de pied à une pierre, elle ira aussi loin que le lui permettront l'impact du coup et la nature du sol sur lequel elle roulera ; bref, sa trajectoire pourrait être très bien calculée. Donnez un coup de pied à un chien et la réaction devient imprévisible. Je laisse à votre imagination le soin d'élaborer les divers scénarios possibles selon l'histoire antérieure du chien, son état actuel, la nourriture qu'il convoite et quoi d'autre encore. Mario nous amène aujourd'hui, par son décès, à faire des choix qui auront une portée sur notre destin comme sur celui des gens de notre entourage. Mario a mis fin à sa vie, mais n'a pas mis fin à son influence sur nos choix et nos réflexions.

«La science nous apprend qu'un suicide peut influencer d'autres gens à se donner la mort. C'est l'effet Werther, de plus en plus connu des médias qui choisissent de garder sous silence, par exemple, les suicides dans le métro. En voyant l'effet dévastateur qu'a la mort de Mario sur son entourage aujourd'hui, ne serait-il pas important de réfléchir sur d'autres moyens que les moyens suicidaires pour soulager sa propre souffrance ?

« Ne serait-ce pas un premier choix à faire que de se donner un contexte favorable, ce que Mario n'a peut-être pas su faire ? En choisissant cette fin misérable, il nous laisse supposer qu'il ne pouvait plus s'ouvrir aux autres. » Cette phrase atteignit le père de Mario en plein cœur. Ce dernier se rendit compte qu'il avait acculé son fils au mur en lui laissant savoir que c'était sa dernière chance. Il n'aurait certes pas su accueillir son fils dans sa rechute. La notion de multiples chances bouscula aussi les intervenants présents. Donnaient-ils suffisamment de chances aux personnes qu'ils tentaient d'aider en misant trop sur le succès des thérapies par leurs approches avant tout individuelles ? Ils n'avaient pas pu s'empêcher de blâmer le père d'avoir mis fin à la thérapie, alors qu'ils auraient peut-être dû intégrer ce père aux enjeux de la thérapie dès le premier jour plutôt que de l'utiliser comme un guichet automatique.

Se donner un contexte favorable, c'est décider de vivre dans des milieux où l'éthique de la réciprocité, qu'on appelle aussi règle d'or, est une priorité. Cette notion d'éthique, dans notre famille et dans notre milieu de vie, devient un incontournable.

Comme le soulignait l'officiant, les funérailles de Mario constituaient la possibilité pour tous ceux qui étaient présents de discuter avec les leurs d'une nouvelle vie de personnes autonomes et vulnérables. « Nous sommes tous vulnérables les uns aux autres, dit-il. L'attribut de vulnérable, dans notre culture cartésienne, a été réservé aux personnes démontrant une faiblesse évidente comme les signes d'une maladie ou d'un autre handicap alors que, en réalité, la nature même d'être autonome fait de nous des êtres vulnérables par notre interdépendance. De la même manière, le besoin de prouver sa valeur par la performance résulte de cette même méconnaissance de l'être autonome. »

On ne tire plus son identité de ses performances, mais on s'assure de se donner des contextes favorables à l'action réfléchie en voyant au renouvellement de son énergie et de l'information en continu, de l'intérieur comme de l'extérieur.

Le prêtre poursuivit ainsi : « Je vous propose dans cette période de deuil de Mario de lui rendre hommage en faisant ce qu'il n'a pas eu la chance d'apprendre. Permettons-nous d'être heureux et malheureux ensemble, en nous promettant d'abord de ne plus jamais être seuls dans la détresse. On sait où ça conduit. Mario nous l'a démontré. N'acceptons plus le blâme des autres. Prenons des moments de répit pour y mettre fin et ne blâmons pas non plus les autres ni nous-mêmes. Ne ruminons plus le passé, mais voyons à ne pas répéter les mêmes erreurs. Ne misons plus sur l'exclusion ou le rejet, mais voyons à nous parler de nos limites pour nous réorganiser vers des possibles. »

Le père se rapprocha de sa fille. La mère en fit autant. Ils se regardèrent et pleurèrent ensemble. La jeune fille reprit son souffle et sourit. « On ne pourra pas beaucoup parler si on ne peut plus se blâmer. » Père et mère répondirent en souriant, sans prononcer un son. Ils prirent chacun une main de leur fille et, après une certaine hésitation, la main de l'autre.

L'officiant termina son oraison par un *Amen* qui sembla se propager au-delà de la salle, dans le silence de son auditoire.

CONCLUSION

En ma qualité de psychiatre d'urgences psychiatriques et de crise, j'ai voulu partager avec le lecteur mon impuissance à faire une différence réelle auprès du suicidaire sans sa participation et celle de ses proches.

Le suicide est un remède momentané à un mal qui dure souvent depuis trop longtemps. Derrière cette solution catastrophique, il y a bien plus que de la maladie. Le geste suicidaire, bien qu'il soit souvent le fruit d'une dernière impulsion, révèle un contexte inacceptable, un sentiment d'emprisonnement dont le suicidaire, exaspéré, indigné, meurtri, étouffé, ne pense qu'à s'échapper désespérément. Traiter l'état d'épuisement et la maladie peut apporter quelque soulagement sur le moment, mais un retour à cette prison amène encore plus rapidement le suicidaire à mettre fin pour de bon à cette situation invivable, comme en fait foi le risque décuplé de suicide qu'indiquent généralement les tentatives de suicide antérieures et les idées suicidaires persistantes.

Durant la rédaction de cet ouvrage, lorsque je mentionnais que j'écrivais un livre sur le suicide, plusieurs personnes de mon entourage réagissaient en rapportant leur propre incompréhension d'un tel geste chez un ami, un proche. Comment peut-on en arriver là ? Comment, aussi, peut-on aider une telle personne ? Certains disaient qu'ils ne se seraient jamais imaginé que cette personne puisse faire un geste pareil. D'autres ajoutaient qu'elle vivait déjà de grandes difficultés de santé et souffrait entre autres de ce que son conjoint venait de la quitter pour une autre personne plus jeune, alors que les enfants étaient maintenant de jeunes adultes. Perplexes devant une situation si complexe, ils soupiraient : « Il faut des spécialistes en la matière. » Et moi, la spécialiste, je leur disais : « Le spécialiste n'y arrivera pas sans que la personne et les siens remettent en question leurs valeurs fondamentales. » Ce qui n'avait pour effet que de les rendre encore plus perplexes.

J'espère qu'à l'aide de leur lecture, ils sauront comment aider un suicidaire et comment ne pas eux-mêmes en arriver à une telle solution sans avoir pris conscience de ses conséquences, à court et à long termes, sur leurs milieux. C'est lorsqu'on a décidé de son éthique, de là où on ne veut plus arriver, qu'on peut faire des choix de vie et déterminer qui sont les personnes avec qui les réaliser.

Laissons-nous inspirer par le fabuliste Jean de La Fontaine, inspiré lui-même d'Ésope, né il a plus de 2500 ans, sur les états émotionnels du bûcheron qui appelle la mort à son secours.

LA MORT ET LE BÛCHERON
Un pauvre bûcheron, tout couvert de ramée,
Sous le faix du fagot aussi bien que des ans
Gémissant et courbé, marchait à pas pesants,
Et tâchait de gagner sa chaumine enfumée.
Enfin, n'en pouvant plus d'effort et de douleur,
Il met bas son fagot, il songe à son malheur.
Quel plaisir a-t-il eu depuis qu'il est au monde ?
En est-il un plus pauvre en la machine ronde ?
Point de pain quelquefois, et jamais de repos.
Sa femme, ses enfants, les soldats, les impôts,
Le créancier et la corvée
Lui font d'un malheureux la peinture achevée.
Il appelle la Mort ; elle vient sans tarder,
Lui demande ce qu'il faut faire.
C'est, dit-il, afin de m'aider
À recharger ce bois ; tu ne tarderas guère.
Le trépas vient tout guérir ;
Mais ne bougeons d'où nous sommes :
Plutôt souffrir que mourir,
C'est la devise des hommes.

La mort a deux faces ; l'une est faite d'ombre, et l'autre de lumière. Reconnaître ces deux faces est essentiel pour en tirer le meilleur parti. Se laisser éclairer par l'existence de la mort permet de se réapproprier sa vie. Le bûcheron, en voyant arriver la mort, vient à penser à d'autres projets. Prendre conscience que la mort peut être là à tout moment, même si on ne l'appelle pas, permet en effet de nous tourner plus rapidement vers les projets qui nous tiennent à cœur. Par là, le suicidaire pense à se libérer de la vie qu'il n'a pas pu faire sienne.

Plusieurs se sont en effet laissés détourner des chemins de la vie dans leur enfance et leur adolescence pour des raisons multiples, souvent difficiles à saisir tant par l'observateur que par l'observé. Pourquoi tel enfant a-t-il été résilient dans l'adversité, et tel autre en a-t-il été écrasé ? À l'âge adulte, encore là pour de multiples autres raisons, pourquoi certains parviennent-ils à reprendre leur vie en mains, et d'autres s'enferment-ils de plus en plus dans l'entonnoir du désespoir et de l'impuissance ?

Par ailleurs, la crise suicidaire ne constitue-t-elle pas une excellente occasion pour se réapproprier sa vie ? Il semble évident qu'un suicidaire ne peut continuer sa vie comme il l'a conduite jusque-là puisqu'il a envisagé de se l'enlever, non seulement en appelant la mort, mais en tentant de se la donner. Dire à un suicidaire qu'il a de bonnes raisons de vivre est plus ou moins peine perdue, surtout si les choses se remettent à aller mal. Associer l'idée suicidaire à une maladie uniquement et ne penser qu'à traiter celle-ci, c'est lui enlever la chance de se réapproprier son pouvoir d'agir dans une vie qui pourrait reprendre du sens même dans les pires moments, si elle devenait la sienne. D'autant plus que les traitements deviennent souvent inefficaces à la longue et n'empêchent pas nécessairement le passage à l'acte. Impossible aussi à long terme de miser sur la protection des siens et des soignants sans risquer l'étouffement et l'épuisement pour tous.

Mais quand rien ne va plus, comment apprendre à miser sur la vie et aider l'autre à reprendre espoir dans ses relations avec les autres, plutôt que de se donner la mort ou de laisser l'autre se la donner ?

En décrivant mon propre parcours de « sauveur réformé », de femme médecin découvrant la psychiatrie, de psychiatre traitante de patients suicidaires qui se sont tués malgré mes efforts thérapeutiques, je voulais avant tout permettre au lecteur d'effectuer ses propres réflexions sur le suicide, la souffrance morale, la maladie mentale et la façon d'aider les désespérés autour de lui. Le lecteur aura pu se rendre compte que prévenir le suicide dans sa famille et aider le désespéré relèvent d'une même logique. Il n'y a pas de succès possible sans la participation de toutes les personnes concernées par le problème. C'est la fin des sauveurs et le début des facilitateurs de contextes de vie dans l'optique d'une action réfléchie. C'est la clé de voûte de cet ouvrage : faire en sorte que le souffrant nous aide à l'aider plutôt que de ne vouloir que le sauver.

Je me permets de reprendre cette idée centrale ici, dans ma conclusion. La souffrance d'un proche suscite chez l'autre un besoin irrépressible de faire cesser cette souffrance. Ce besoin irrépressible fait partie de la mission du sauveur qui tolérera mal ses échecs. Il expliquera que son échec est attribuable au trouble mental de son être cher ou, avec le temps, au manque de motivation de ce dernier. Ces deux réalités, la mission du sauveur et sa vulnérabilité d'être compatissant, sont interreliées. Toute personne se trouvant dans un rapport d'aide qui ne s'assure pas de maintenir un rapport de réciprocité entre elle et l'autre, que ce soit en sa qualité d'aidant ou d'aidé, s'engage dans les chemins où il ne faut pas aller. On s'éloigne de plus en plus des chemins de l'action réfléchie entre les acteurs dans le respect de la souveraineté de chacun.

L'histoire de la psychiatrie illustre bien jusqu'où on a pu aller dans notre rôle de sauveur. La bonne nouvelle, c'est que le malade mental s'attend désormais à être traité avant tout comme une personne. Il s'oblige ainsi à quitter sa partition de protégé, mais il n'y parviendra pas si le soignant ne quitte pas celle du sauveur, de celui qui peut se passer de la participation de la personne qu'il aide. Il doit y avoir consensus entre ces deux parties. Du même coup, la stigmatisation de la maladie mentale s'estompera lorsque le malade mental sera une personne souffrant de maladie mentale qui se réapproprie sa vie avec les autres dès le premier épisode, dans la reconnaissance des limites de chacun. Elle aura d'autant plus de mérite à le faire, mais elle doit savoir qu'elle ne peut errer trop longtemps dans les chemins de la maladie, car alors elle ne saura même plus qu'une autre vie existe.

Au XXIe siècle, une personne en fauteuil roulant peut circuler dans la majeure partie des lieux publics, incluant les autobus. Une telle chose aurait été impensable au siècle dernier. Tous ces accommodements, cependant, seraient inutiles si la personne handicapée n'avait pas reconnu son handicap pour apprendre à mener sa vie dans de nouvelles conditions. Accepter, vivre avec la perte, pour prendre une nouvelle position, tant envers son handicap qu'envers les autres.

J'ai repris la description du **protectionnisme** comme un ensemble qui guette le sauveur touché par la souffrance d'un proche et qui menace d'en engloutir plus d'un, à moins de reconnaître le système et sa toile, très bien tissée par les promesses des sauveurs et les attentes des sauvés à l'égard de ces derniers. Les rôles, les sentiments et les moyens dysfonctionnels des acteurs de cet ensemble sont illustrés dans la roue de la victimisation. Celle-ci permettra à ces acteurs de reconnaître le système relationnel dans lequel ils évoluent pour s'attaquer dorénavant aux rapports plutôt qu'aux autres. En effet, malgré leur désir de bien faire, sauveurs et sauvés, protecteurs et protégés finissent bien souvent par utiliser des moyens peu orthodoxes et même répréhensibles pour se sortir du système qu'ils dénoncent, alors que c'est en raison des moyens mêmes qu'ils utilisent qu'ils s'enferment de plus en plus dans un système invivable. Ils utilisent en fait les moyens qui vont de pair avec leurs valeurs de sauveurs. On ne peut passer du protectionnisme à un contexte où les personnes participent à l'équilibre du groupe sans avoir réfléchi sur les valeurs, les aspirations et les comportements relatifs à ces deux cultures. C'est ce que contient la liste du chapitre 11. Les points 13 et 14 sont essentiels à l'entrée dans le monde de la participation.

Le lecteur se souviendra, en effet, que la nature des moyens utilisés est le meilleur indicateur de la nature du processus en cours. Faire respecter l'ordre chez soi grâce à la peur et à l'aide de moyens interpersonnels déstabilisants ne peut entraîner que des comportements de soumission ou d'opposition. Trop souvent, les organismes mandatés pour protéger l'enfant ou la personne démunie se préoccupent d'avoir des preuves d'actes violents, plutôt que de vérifier si les personnes visées manifestent de la peur. En observant la peur, l'indignation, la soumission chez les personnes qui nous consultent, nous ne pouvons qu'inclure toutes les personnes impliquées et leur proposer une nouvelle règle d'interaction grâce à laquelle chacun se sentira protégé par la règle, et non contrôlé ou protégé par l'autre. Avec le temps, sans cette règle, on ne sait plus qui a le plus de contrôle sur l'autre, le prisonnier ou le geôlier, surtout lorsqu'on veut faire valoir ses bonnes intentions à l'égard de l'autre.

Je souligne aussi l'importance d'accéder à un tiers, qu'il soit virtuel ou réel, pour vivre dans des rapports de réciprocité. Il faut toujours vivre à trois: soi, l'autre et la relation. Quand on ne peut plus rappeler la règle relationnelle entre soi et l'autre, on est dans des rapports de violence. L'annexe sur les axiomes de la communication, complémentaire à la lecture du chapitre 11 sur ce qu'il ne faut plus faire et sur ce qu'il faut essayer, facilitera l'apprentissage des théories des relations et de la communication. Ignorer ces théories de nos jours, alors que chacun s'attend à une certaine qualité de vie, équivaut à se confiner dans le statut de l'analphabète du XXe siècle. Des outils essentiels manquent pour se réapproprier sa vie avec les autres.

C'est en maîtrisant l'art de maintenir de bons rapports qu'on peut mieux voir à ses souffrances avec les autres. Osons prendre le rôle de tiers que nous offrent ceux et celles qui nous consultent, sans trop le savoir, lors du premier contact, lorsqu'ils nous manifestent verbalement ou implicitement que la situation est devenue invivable; osons nous adresser à un tiers réel ou virtuel quand rien ne va plus chez soi, non pas pour décider qui est à blâmer, mais pour ramener la RRAV et l'adhésion à l'éthique de la réciprocité.

Ne confions plus aux thérapeutes le rôle de sauveurs. Voyons à les aider à nous aider, dans un premier temps, à prioriser un contexte relationnel favorable à la bonne santé et à la découverte des chemins de la vie.

Bonne chance à nous tous!

ANNEXE

Axiomes de la communication

Mon travail s'appuie sur les théories de la communication des êtres humains, telles que proposées par Paul Watzlawick [86] et Gregory Bateson[87], et décrites un peu différemment dans mon premier livre, *Aider sans nuire: De la victimisation à la coopération*[88]. Les cinq axiomes, ou principes, formulés par Watzlawick et ses collaborateurs sont universels, et donc connus intuitivement de tous. Nommer ces principes qui régissent nos communications au quotidien nous permet par ailleurs d'éviter le pire dans nos relations et interactions. En effet, les enfants de trois ans connaissent instinctivement tous ces axiomes, comme ils maîtrisent leur langue maternelle sans pour autant pouvoir énoncer les règles de grammaire ni écrire les mots. Avec l'âge, les enfants peuvent s'exprimer de mieux en mieux en apprenant les règles de syntaxe et de sémantique. C'est ce que nous proposons ici aux lecteurs: s'approprier la sémantique et la syntaxe de la communication pour mieux maîtriser la qualité de leurs relations, qui a une telle influence sur leur santé mentale. Ces connaissances leur permettront d'agir rapidement dans les situations de crise puisqu'ils seront avertis des écueils à éviter.

Voici les cinq axiomes de la communication dans l'ordre que j'ai choisi d'adopter:

1) On ne peut pas ne pas communiquer.
2) Les êtres humains usent de deux modes de communication: numérique et analogique.
3) Toute communication présente deux aspects: le contenu et la relation, tels que le second englobe le premier, et par la suite est une métacommunication.

4) Toute communication est symétrique ou complémentaire, selon qu'elle se fonde sur l'égalité ou sur la différence.
5) La nature d'une relation dépend de la ponctuation des séquences de communication entre les partenaires.

• **Axiomes 1 et 2: On ne peut pas ne pas communiquer** et **Les êtres humains usent de deux modes de communication: numérique et analogique**, ou verbal et non verbal.
Le premier axiome de la communication – « on ne peut pas ne pas communiquer » – se couple presque naturellement avec le deuxième, qui nous dit que la communication peut être verbale et non verbale. Inutile donc de s'excuser en disant: « Je ne lui ai pas dit qu'il m'ennuyait », car l'ennui se traduit rapidement dans l'attitude. Inutile également de passer trop de temps à écouter sans être intéressé, comme tant de psychothérapeutes l'ont appris. Mieux vaut ramener la conversation pour y retrouver son intérêt, quitte à se faire blâmer de ne pas savoir écouter. Au moins, on aura évité un double lien.

Dans les moments de crise, la communication est à 90 % non verbale, analogique, influencée par le contexte. Pensons aux moments de turbulence ou de bruits insolites dans un avion en vol. Le visage des hôtesses nous en dit déjà beaucoup sur la situation. Les personnes en crise, comme l'enfant et la personne en déficit cognitif qui maîtrisent mal la parole, sont très sensibles à la communication non verbale. Piaget[89] a bien mis en évidence la communication entre le nourrisson et son entourage, qui se fait en particulier par le regard à partir de l'âge de trois à quatre mois. La communication par les sens a aussi été démontrée chez la personne démente. Pour ma part, je l'ai appris dramatiquement alors que je répondais à une demande de consultation psychiatrique auprès d'un écrivain connu dans la jeune cinquantaine, hospitalisé avec un diagnostic de dépression. Au cours de l'évaluation, je me suis rendu compte que l'écrivain présentait des symptômes évidents de démence, et j'en voulais quelque peu au médecin de ne pas m'avoir pistée vers ce diagnostic, plus qu'évident à une première entrevue. Lors de mon retour au poste des infirmières, le patient s'est mis à crier dans le corridor que la psychiatre l'avait condamné en lui parlant de démence. Je n'avais absolument rien nommé, bien au contraire, mais ce qu'il craignait le plus se lisait fort probablement dans mon absence de questions sur sa dépression, ou même encore sur ma réaction liée à ma surprise des symptômes observés, et que je croyais avoir si bien cachée.

En ce qui concerne les expressions blessantes, le mépris en est une bien connue, qui s'exprime rarement par des mots et est néanmoins comprise dans toutes les langues. Cet axiome nous sensibilise donc aux messages uniques ou multiples que véhicule tout comportement, y compris les messages du genre : « Je ne veux pas communiquer avec vous ; vous n'êtes pas assez important pour que je vous regarde. » Les Britanniques ont même nommé cette expression qui les caractérise *stiffed upper lip* (rictus de la lèvre supérieure), qui est perçue dans d'autres cultures comme une expression de supériorité et même de mépris.

• Axiome 3 : Toute communication présente deux aspects : le contenu et la relation, tels que le second englobe le premier, et par la suite est une métacommunication.

Les deux axiomes précédents sont relativement simples. Celui-ci, sur la relation qui englobe le contenu et qui par la suite est une métacommunication (communication qui englobe non seulement les mots prononcés, mais leur relation avec le contexte), constitue la pierre angulaire des interventions dans les rencontres aidant/aidé. Cette forme de communication est plus complexe en raison des multiples liens qu'elle a avec les rapports malsains de gardien des personnes fragilisées, et avec les contextes sains de réciprocité entre personnes responsables.

Cet axiome nous permet de comprendre :

- *la nécessité de modifier le cadre relationnel si l'on veut transformer une relation de protecteur en relation de respect de l'autonomie de chacun ;*
- *que cette possibilité de modifier le cadre relationnel n'existe que si l'on peut temporairement sortir de la relation pour proposer un nouveau cadre.*

Lorsque l'on peut sortir de la relation pour la redéfinir, c'est que la métacommunication est possible. La métacommunication est la base de l'expertise dans les relations humaines : toujours maintenir cette possibilité de sortir de la relation pour la redéfinir, afin d'éviter de glisser vers une relation de chantage, de contrôle, de rejet ou de déni.

Sans faire l'objet d'une entente verbale, les règles relationnelles s'installent à notre insu dès les premiers échanges. C'est ainsi que la métacommunication peut devenir inaccessible sans qu'on l'ait décidé. C'est ce qui se passe lorsqu'une personne se sent sous le contrôle de l'autre et ne parvient plus à s'en sortir. Pour mettre fin à cette victimisation, elle ne peut que s'exclure si l'autre partie refuse de consulter avec elle un tiers pour discuter de la relation même. Le tiers lui-même glissera dans les relations pathogènes, si, dès la première rencontre, il choisit de s'en tenir au contenu plutôt que de métacommuniquer, de discuter de la règle pour proposer un contexte favorable à l'échange des points de vue de chacun.

Pour éviter de s'enliser dans un processus de victimisation, la personne aidante doit accepter de décevoir la personne qui lui demande de l'aide, en faisant valoir son impuissance à aider dans des rapports de contrôle, sans toutefois la disqualifier ni la rejeter. Cette dernière, qui croyait que seul un sauveur pouvait la tirer de son état misérable, peut refuser de continuer avec l'aidant consulté, comme Mélanie (voir page 13) l'a fait en optant pour une autre équipe. Le professionnel consulté doit respecter ce choix et éviter surtout de le détourner par des manœuvres de « séduction ». Le chemin vers de nouvelles ouvertures est semé d'embûches, et le blâme de la personne consultée envers la personne à aider ne peut que retarder sa découverte.

• **Axiome 4 : Toute communication est symétrique ou complémentaire, selon qu'elle se fonde sur l'égalité ou sur la différence.** L'interaction complémentaire se définit par la **différence** dans l'orientation des comportements, lesquels se complètent les uns les autres. Elle est constituée des positions relationnelles *up/down, down/up*, telles qu'observées dans l'interaction autoritaire/soumis, parent/enfant, professeur/étudiant, entre autres. Si cette interaction complémentaire devient rigide, elle conduit à une déformation progressive des caractères et se termine par l'implosion dans le déni ou l'explosion dans le rejet. En effet, la personne soumise est niée si elle ne se conforme pas aux exigences du « partenaire » en autorité. Elle doit continuer à se soumettre pour se sentir comme une personne plus ou moins valable. La personne en autorité tire sa valeur de l'autre, soumise. Les risques de psychopathologie deviennent très élevés, car il n'y a plus de porte de sortie, il n'y a plus de possibilités de métacommunication pour les antagonistes à l'intérieur même de la relation pour redéfinir cette relation.

Ces déformations des caractères, que l'on retrouve dans les relations rigides, nous permettent de concentrer notre attention sur le mode relationnel des individus, plutôt qu'uniquement sur des diagnostics de troubles de la personnalité. Décrire une personne en disant : « Elle est une vraie victime » équivaut à ignorer le contexte qui a rendu cette personne inapte à se protéger, car il lui était impossible de percevoir ce contexte. Cette victime, dans un nouveau contexte, peut facilement devenir l'abuseur tout autant que le gardien d'une victime. Elle ne connaît que les valeurs des gens évoluant dans des rapports de contrôle les uns par rapport aux autres où la protection ne vient que des autres et non de la règle d'autoprotection, soit une entente sur la règle de respect de l'autonomie de chacun, pour s'entraider sans abus.

Dans l'interaction symétrique, la position des protagonistes est la même et l'échange est fondé sur la **similarité** dans l'orientation de l'action. L'un essaie de faire un peu plus que l'autre, sans cesse « un peu plus égal que l'autre ». Si l'interaction n'est pas compensée par un mode complémentaire, elle devient une relation symétrique rigide et conduit à la rivalité et à l'hostilité. C'est le modèle « qui a tort, qui a raison ». Lors d'emballements, elle conduit au rejet. Le maintien dans un tel rapport rendra dysfonctionnels les deux acteurs, ainsi que ceux et celles qui doivent vivre ou travailler avec deux personnes en autorité qui entretiennent entre elles un tel rapport.

Pensons aux enfants d'un couple qui vivent dans des modèles d'interaction rigides, qu'ils soient complémentaires ou symétriques. À l'occasion, il y a l'espoir de s'en sortir, mais rapidement les interactions reprennent sous la même forme. Pour ces enfants, c'est le supplice chinois. Ce sont eux qui deviennent la porte de sortie, et les risques de naufrage se multiplient lorsque la solution est laissée entre leurs mains… à moins que les parents ne s'ouvrent les yeux et ne décident d'un commun accord de s'orienter vers l'intérêt des enfants, soit en consultant une tierce personne, soit en reconnaissant la toxicité de leurs rapports et la nécessité de ne plus vivre sous le même toit.

Dans une bonne relation, comme on peut maintenant le comprendre, les interactions sont tour à tour, et rapidement, complémentaires et symétriques. «Ah, c'est comme ça que tu vois ça!» Ce genre de réalisation permet, par exemple, de mettre fin à un échange sur qui a tort et qui a raison, en reconnaissant que l'autre a raison.

Gregory Bateson a aussi décrit dans les échanges entre groupes des rapports de **réciprocité** qui permettent de suspendre des interactions désagréables parce que chacun des groupes peut se passer de l'autre au pis aller. Nul ne doit retenir l'autre pour être confirmé dans son identité de personne valable. Chacun peut regretter ce que l'autre peut lui apporter, mais il maintiendra son intégrité sans l'autre. La capacité de se passer de l'autre au pis aller donne à la relation le caractère de la réciprocité, la condition essentielle pour une relation saine.

C'est ce qui m'a amenée à distinguer deux grands modes relationnels dans mon parcours de clinicienne: celui de la coopération dans la réciprocité, et celui du gardien permanent dans le protectionnisme (voir page 139). Là où on se définit comme le protecteur de l'autre, il n'y a plus de réciprocité. Être seul dans son propre bateau tout en appartenant à diverses flottes est l'exemple que j'ai souvent donné pour expliquer le besoin pour chacun de décider pour soi tout en étant avec les autres dans une vie intéressante et enrichissante. Rien de plus dysfonctionnel que d'être deux dans le même bateau pour la vie. Rien de plus appauvrissant que de vivre sans réseaux personnels. La personne est souveraine et doit pouvoir être à la barre de son bateau. Elle est aussi autonome, c'est-à-dire interdépendante, et a besoin des autres pour se réaliser. On a trop souvent confondu autonomie et indépendance.

• Axiome 5: La nature d'une relation dépend de la ponctuation des séquences de communication entre les partenaires.

Selon le contexte, les fleurs offertes par un mari à sa femme peuvent signifier tant un aveu d'infidélité qu'une marque d'amour. Rappelons-nous que les guerres entre nations ont trop souvent commencé par une interprétation hostile erronée d'un geste du voisin menaçant. Les corps diplomatiques ont, par ailleurs, permis de maintenir la paix en ponctuant événements et comportements à l'avantage de tous. La métacommunication dans un groupe peut mettre fin aux risques de mauvaise interprétation des comportements de l'autre. Rien de mieux que de s'entendre sur une règle permettant à chacun de se protéger en s'exprimant sur ses frustrations, sans d'abord attaquer l'autre, et de vérifier l'intention de l'autre avant de croire en une mauvaise intention de sa part.

Les couples chez qui le rapport de confiance n'est plus le fondement de la relation ne parviennent pas à durer, malgré les efforts de l'un pour regagner la confiance de l'autre. La confiance est un risque. La trahir est un risque encore plus grand, et il est habituellement impossible de la regagner, surtout si on mise sur les preuves plutôt que sur la prise d'un nouveau risque de confiance. Par ailleurs, un rapport de confiance permet aux protagonistes de faire des erreurs sans mettre en danger la relation elle-même.

Soulignons ici les volets des axiomes de la communication qui nous permettent de comprendre les éléments du protectionnisme et de l'importance du choix de la règle du respect de l'autonomie dans la coopération, la réciprocité et l'autoprotection dans nos relations. Cette règle existe lorsque chacun peut prendre ses limites en considération pour s'engager dans de nouvelles solutions.

Le chantage s'installe par un petit geste autoritaire rigide accepté dans le chaos de l'action. La répétition du geste autoritaire rigide, qui ne suscite pas de recadrage chez la personne contrôlée, considère la déstabilisation et l'imposition des solutions comme des modes de gestion des différends. La personne contrôlée ne peut sortir d'un rapport de chantage sans accepter de perdre possiblement son intégrité, ayant d'abord consenti à se soumettre. C'est souvent ce qui se passe dans les cas d'inceste, par exemple. Il est impossible pour l'enfant de recadrer la relation.

La connaissance de ces axiomes nous permet donc de toujours surveiller la nature des relations qui s'installent entre nous dans l'action, en tant qu'adultes, plutôt que de nous en tenir seulement au contenu émotionnel et au besoin d'accepter l'autre ou d'être accepté par l'autre.

Notes

Chapitre 1 : Que faire avec une personne suicidaire ?

1. Intelligence relationnelle: Le terme « intelligence relationnelle » vient de Daniel Goleman, qui le mentionne dans ses deux livres : *Intelligence émotionnelle*, Paris, J'ai lu (Poche), 1998, 2003, et *Cultiver l'intelligence relationnelle*, Paris, Robert Laffont, 2006, 2009.
   À la lumière des neurosciences, Daniel Goleman confirme l'existence de cellules spécifiques qui s'activent au moment des rapports sociaux. En effet, d'après les scientifiques, le secret de notre intuition sociale proviendrait des cellules fusiformes de notre cortex orbito-frontal (page 113), et les cellules miroir seraient responsables de notre sympathie et de notre physionomie dans nos contacts sociaux (voir la note 62). Nous « sentons » l'autre, au sens le plus large du terme : en éprouvant ses sentiments, ses mouvements, ses sensations et ses émotions de l'intérieur.
   La connaissance des théories systémiques et de la complexité nous permet par ailleurs d'établir une compréhension syntaxique des relations à partir de ces émotions (voir l'annexe « Axiomes de la communication », à la page 177, pour un résumé de ces théories).
   Je recommande au lecteur *L'approche systémique en santé mentale*, ouvrage publié en 2011 aux Presses de l'Université de Montréal dans une nouvelle édition revue et augmentée, sous la direction de Louise Landry Balas.
2. Suicide assisté et euthanasie: Les législations sur l'euthanasie et le suicide assisté ont toujours porté uniquement sur les patients souffrant de maladie physique en phase terminale. Les personnes malades mentalement n'ont jamais fait l'objet de ces législations.
   Dans la colonne des débats de *La Presse* du 24 septembre 2013, le Dr Daneault, coauteur (avec Marcel Boisvert) du livre *Être ou ne plus être : débat sur l'euthanasie* (Éditions Voix parallèles, 2010) terminait ses propos sur le refus des soignants d'accepter leur impuissance à guérir leurs patients mourants en disant : « L'euthanasie n'est-elle pas seulement une

forme sociale d'aide au suicide ? » Le Dr Daneault attribue la demande du droit à l'euthanasie à l'incapacité du soignant d'accompagner son patient dans sa mort. Pour lui, le soignant préfère faire mourir à laisser mourir. Les craintes énoncées à l'égard des protecteurs qui volent le problème de leurs protégés en leur imposant leurs propres décisions ne se retrouvent-elles pas là également ?

Il me semble important de distinguer le suicide imprévisible, exécuté à l'insu de tous et qui tue littéralement l'entourage du suicidaire, et le suicide assisté, décidé en compagnie de tous, dans l'amour, en vue de faciliter le passage de la vie à la mort de l'être aimé, condamné à mourir dans les prochains mois. J'invite le lecteur à visionner le témoignage du Dr Low, le microbiologiste admiré à la fois pour son humanisme et pour son efficacité lors de la crise du SRAS à Toronto en 2003, qui a succombé à une tumeur au cerveau à 68 ans, en septembre 2013. Il a voulu, au cours de ses derniers jours, promouvoir la cause du suicide assisté à partir de sa position privilégiée de mourant. http://www.youtube.com/watch?v=q3jgSkxV1rw

Je tiens également à faire une distinction claire entre ces notions et le suicide des membres d'une secte qui se tuent ensemble sous le contrôle de leur chef, à la suite d'un lavage de cerveau orchestré par ce dernier. On peut parler de lavage de cerveau lorsqu'il n'y a pas de tiers pour fournir au groupe un éclairage éthique. Ce n'est pas seulement dans les sectes que de tels suicides peuvent se produire, mais partout où il n'y a pas d'action réfléchie.

3. Droit au suicide de la personne non mourante : je distingue l'approche au mourant de l'approche au suicidaire, malgré l'insistance de certains suicidaires, dont cette jeune fille, à vouloir les mettre au même niveau. Les deux grandes différences sont :

   1) le suicidaire peut retrouver une qualité de vie (Koivumaa-Honkanen, H. *et al.* « Life Satisfaction and Suicide : A 20-Year Follow-Up Study », *American Journal of Psychiatry*, 2001, 158 : 433-439, doi : 10.1176/appi. ajp.158.3.433), ce qui est tout à fait inaccessible au mourant dont les jours sont comptés ;

   2) l'approche au suicidaire passe par la reprise de son statut de personne autonome capable de se donner de plus en plus de marge de manœuvre avec les siens, alors que l'approche au mourant, dans les soins palliatifs, ignore les culs-de-sac dans lesquels tous s'enfermeraient si la vie continuait trop longtemps. Le mourant a enfin droit à tous ses « caprices », ce qui n'est pas le cas pour les vivants sans échéance. Les « caprices » d'un mourant peuvent être d'abréger une vie déjà presque terminée sans passer par l'agonie.

4. Décriminalisation du suicide: Au cours des 50 dernières années, on a assisté en Occident au mouvement progressif de décriminalisation du suicide dans les divers pays où il avait été criminalisé, alors que depuis longtemps on n'appliquait plus la loi. Il est intéressant de remarquer qu'en Écosse, le suicide n'a jamais été considéré comme un crime, alors qu'à Singapour, il l'est encore. La décriminalisation a-t-elle entraîné une augmentation du taux de suicide parce qu'on ne craignait plus de rapporter le suicide comme cause de la mort d'un proche? Elle a certainement humanisé les soins aux suicidaires et probablement permis un meilleur suivi. La décriminalisation permet de décider de son éthique interpersonnelle dans la gestion de sa détresse.
   Voir D. Lester. «Decriminalization of suicide in seven nations and suicide rates», *Psychological Reports,* 91 (3 Pt 1): 898, décembre 2002.
5. Les bonnes pratiques: Inscrire le mot «suicide» dans un moteur de recherche électronique permet de connaître rapidement les bonnes pratiques en cours pour aborder une personne suicidaire. L'objectif du présent ouvrage est d'aider la personne touchée par la problématique à mieux évaluer les risques inhérents à aider – ou à ne pas aider – un suicidaire, et à examiner les pour et les contre d'une demande d'aide.
6. Approche humaniste et contre-transfert: Dans la majorité des ouvrages sur le suicide destinés aux professionnels de la santé, on mentionne la possibilité du contre-transfert à l'égard du suicidaire. Ce contre-transfert s'explique bien lorsque le soignant se donne pour objectif d'empêcher le suicidaire de passer à l'acte plutôt que de lui permettre de réfléchir avec les siens sur les conséquences de son suicide. Il reste qu'une approche compatissante envers le suicidaire, qu'il en soit à sa première ou son énième tentative ou menace de suicide, va de soi. L'inverse est une erreur, même s'il y a ou si l'on sent de la manipulation.
   Voir R. K. McGee et B. Jennings, «Ascending to "lower levels": The Case for Nonprofessional Crisis Workers», dans D. Lester (sous la dir. de), *Crisis Intervention and Counseling by Telephone* (2e édition), Springfield, IL, USA, Charles C. Thomas Publisher Ltd., 2002, p. 231-241.
7. Abus, abusif et abuseur: Ici, ces termes seront utilisés pour désigner ou qualifier un acte ou une personne qui ne respecte pas l'autonomie de l'autre. C'est ainsi qu'un protecteur mû par les meilleures intentions du monde peut devenir abusif à l'égard de la personne qu'il veut protéger, pour éviter à cette dernière des souffrances qu'elle pourrait s'infliger si elle était laissée à ses propres décisions.
8. Autonomie du suicidaire: Dans ces pages, les projecteurs sont braqués sur le respect de l'autonomie du suicidaire comme de celle de ses proches dans leurs milieux de vie: à la maison, à l'école et au travail

ainsi que dans les milieux thérapeutiques. L'accent est mis sur les interactions entre le moi, l'autre et le groupe, et l'éthique dans ces groupes. Cependant, lorsque les comportements du suicidaire suscitent une protection de la part des autres, des rapports de protecteurs-protégés peuvent s'installer et devenir eux-mêmes la source de comportements suicidaires ultérieurs. En effet, une personne troublée mentalement ou fragilisée suscite un réflexe de protection chez les autres, ce qui rend les rapports pathogéniques, rapports qui nuisent à l'efficacité de tout traitement. Comment aider sans nuire? L'autonomie de l'être humain vient de sa conscience d'exister et d'être libre. La vulnérabilité de l'être autonome vient de son besoin des autres pour exister, pour se développer et pour se faire confirmer dans son intégrité. L'être autonome n'est donc ni indépendant ni dépendant; il est interdépendant. Par ailleurs, en raison de son cerveau et de sa nature d'être complexe, il est imprévisible, contrairement au robot.

Chapitre 2 : Mes premiers pas en psychiatrie

9. Voir M. Brousseau. *Retrouver la femme en soi*, Montréal, Éditions Le Dauphin blanc, 2012.
10. Immédiateté de l'implication et ouverture sur l'action réfléchie: Quelques articles, publiés dans des revues prestigieuses, pourraient intéresser le lecteur et l'amener entre autres à s'intéresser aux contextes de violence dans lesquels peuvent vivre des enfants, alors qu'ils manifestent de la peur à l'égard de parents les mieux intentionnés. (Ne plus chercher des preuves de violence, mais s'assurer de donner aux enfants des contextes où la peur n'est plus utilisée comme moyen de contrôle.)
Voir « Living with grief », *The Lancet (Editorial)*, 379 : 589, 2012.
Voir J. Read et R. P. Bentall. « Negative Childhood Experiences and Mental Health : Theoretical, Clinical and Primary Prevention Implications », *The British Journal of Psychiatry*, 200 : 89–91, 2012.
La complexité du rapport humain ne peut se limiter au diagnostic et au traitement d'une maladie. Quel est le problème qui rend l'un de vous malade et les autres souffrants? Peter Kinderman soulevait dans un article récent l'importance de dépasser le diagnostic dans nos interventions et proposait ceci : « Clinicians, working in multidisciplinary teams, the most useful approach would be to develop individual formulations; consisting of a summary of an individual's problems and circumstances, hypothesis about their origins and possible therapeutic solutions. This "problem definition, formulation" approach rather than a "diagnosis, treatment" approach would yield all the benefits of the current approach without its many inadequacies and dangers. It would

require all clinicians – doctors, nurses and other professionals – to adopt new ways of thinking. It would also require the rewriting of most standard textbooks in psychopathology (which typically use DSM diagnoses as chapter headings). » (P. Kinderman *et al.* « Drop the Language of Disorder », *Evidence-Based Mental Health*, 16 : 2-3 doi : 10.1136/eb-2012-100987, 2013.)

11. *Empowerment* : Le terme anglais *empowerment* désigne un processus grâce auquel une personne est aidée à utiliser son pouvoir d'agir. C'est un phénomène qui fut d'abord reconnu dans les mondes politiques et sociologiques. Au cours des 20 dernières années, ce processus fut reconnu comme essentiel à la réussite du modèle du Rétablissement en santé mentale (voir note 38).

    Parmi toutes les traductions suggérées, je choisis « réappropriation de son pouvoir d'agir » plutôt qu'autonomisation, responsabilisation, développement du pouvoir d'agir, pour mettre l'accent sur le pouvoir de la personne. En effet, dans les rapports interpersonnels, une personne qui se sent contrôlée n'est pas dans un contexte d'*empowerment*.

    Toute personne a besoin d'être reconnue dans sa qualité d'être autonome, mais risque de perdre ce statut lorsqu'elle mise sur la protection de l'autre ou qu'elle veut elle-même contrôler l'autre.

    La participation aux solutions des acteurs concernés devient la clé. Cependant, le risque d'être perçu comme un incapable reste important lorsqu'une personne consulte en santé mentale, en raison de l'importance accordée au diagnostic de la maladie et à son traitement (voir Kinderman, note 10). Un des principaux indicateurs de qualité des services de santé mentale actuellement est l'accessibilité aux services. L'installation d'un contexte de santé n'est pas encore une priorité, c'est le diagnostic de la maladie qui l'est. Par contre, tous les soignants sont sensibilisés à la notion d'*empowerment*. Le patient peut risquer de parler de son sentiment d'être contrôlé plutôt qu'aidé à agir ; il a toutes les chances d'être entendu, mais encore faut-il qu'il le fasse pour contrer le réflexe du sauveur chez le soignant ou chez les siens.

12. Voir Minuchin *et al. Families of the Slums*, New York, Basic Books, 1967. S. Minuchin. *Families and Family Therapy*, Boston, Harvard University Press, 1974.

13. Paul Watzlawick et Gregory Bateson : Comme mentionné dans l'annexe « Axiomes de la communication », page 177, le lecteur pourra saisir les éléments syntaxiques qu'il pourra utiliser comme un outil à la manière d'un macroscope pour déterminer la nature de la relation dans laquelle il évolue. Plutôt que de s'en prendre à lui-même ou aux autres, il pourra s'en prendre à la relation et la modifier si la relation est devenue un tiers.

Voir Paul Watzlawick, Janet Helmick Beavin et Don D. Jackson. *Une logique de la communication*, Paris, Éditions du Seuil, 1972.
Voir « Double lien », note 15, pour Gregory Bateson.

14. Psychiatrie postmoderne: la psychiatrie postmoderne se manifeste actuellement dans le mouvement du Rétablissement. Elle ne nie pas la science, mais donne une place prépondérante à la personne qui vit le problème, en misant sur la qualité des rapports qui la concernent dans les services devenus accessibles. Cependant, le mouvement du Rétablissement n'est pas à l'abri de nouvelles dérives si, pour intervenir, l'on attend par exemple que le malaise, la souffrance d'une personne deviennent une maladie répondant aux critères du DSM. L'intervention sera alors probablement individuelle au détriment de l'intervention contextuelle.
La pensée postmoderne conteste la certitude de la science dans ses concepts et ses applications (les observateurs ne sont pas séparés des objets de leurs observations), et fait valoir que l'imprévisibilité et l'incertitude font partie des systèmes complexes. Ainsi, dans une médecine scientifique qui se veut éthique, nous évaluons ou nous devrions évaluer les risques de tout projet thérapeutique avec les personnes qui paieront le prix d'un mauvais résultat possible.
Céline Lafontaine, dans son ouvrage *L'Empire cybernétique: Des machines à penser à la pensée machine*, cite Jean-François Lyotard (pages 156-158) pour souligner l'importance de l'approche des palo-altistes (école de Palo Alto) Watzlawick et Bateson, selon laquelle toute action humaine est de nature communicationnelle et doit, pour être comprise, être saisie dans son contexte. Nous pourrions ajouter qu'en psychiatrie postmoderne, les contextes relationnels entre les personnes concernées – malade, entourage, personnel et soignants – sont des incontournables pour l'intérêt des personnes qui ont besoin d'aide.
Voir C. Lafontaine. *L'Empire cybernétique: Des machines à penser à la pensée machine*, Paris, Éditions du Seuil, 2004.
Les Laugharne, dans l'article mentionné ci-dessous, décrivent de façon très éclairante la psychiatrie postmoderne et la science postnormale, en insistant sur les aspects subjectifs de la science et les théories de la complexité et du chaos. Cependant, ils donnent en exemple le modèle biopsychosocial pour illustrer la complexité, sans mentionner la dérive vers une approche de causalité linéaire qu'on a pu observer dans la médicalisation de la psychiatrie. L'extrait à la page suivante nous donne un résumé sur la pensée postmoderne et sur la science postnormale.
Voir R. Laugharne et J. Laugharne. « Psychiatry, postmodernism and postnormal science », *Journal of the Royal Society of Medicine*, 95 (4): 207-210, avril 2002.

« In summary, postmodern thought has challenged several aspects of the philosophy of science. It has disputed the assumptions that different observations will coalesce into universal truths, that the observers are separate from the observations made, that scientists are impartial to the interpretation of their data and that scientists are not influenced by the power resulting from knowledge discovered. Scientific discovery is a social process rooted in discourse amongst the scientific community. Postnormal science has some strong postmodern ideas – notably, that uncertainty is inevitable in complex systems and that the search for an absolute truth is suspect. Quality, not truth, becomes the goal. And the evaluation of observations should not be left to a scientific elite but extended to all those with an interest in the quality of the results. But science is not rejected and the judgments of scientists are not ignored. Scientific work is essential to the process but the views of scientists are open to challenge. »

Chapitre 3 : Mon apprentissage avec mes premières patientes suicidaires

15. Double lien et finalité : la notion du double lien (défini au chapitre 7 de cet ouvrage) a été apportée en psychiatrie par Gregory Bateson, alors qu'il étudiait les contextes communicationnels présents à l'origine de la schizophrénie. Bateson s'est également intéressé aux communications chez les dauphins et les cétacés pour saisir les relations entre langage analogique et langage numérique, comme il a tenté de le faire dans ses observations du malade souffrant de schizophrénie. Les messages envoyés par le corps, ou diverses onomatopées et attitudes, donnent un sens aux mots prononcés. La phrase suivante : « Ce n'est pas ce que tu dis qui me dérange, c'est le ton avec lequel tu le dis » décrit bien les interrelations entre l'analogique et le numérique.
    L'incapacité pour l'un des protagonistes de métacommuniquer sur le rapport rend le double lien intolérable et entraîne un état de panique ou un *acting-out* qui n'a plus de lien avec la demande. C'est le troisième comportement : l'autruche qui se met la tête dans le sable ne pouvant ni fuir ni attaquer.
    Pour sortir d'un double lien, rien de mieux que de ramener la finalité recherchée dans le problème. Par exemple, dans un conflit entre soignants et patients, rappelons la raison de la présence des soignants : l'intérêt du patient et le retour dans son milieu. Si le conflit, par exemple, provient du fait que le patient ne se conforme pas aux règles du service d'hospitalisation, serait-il temps de planifier son retour parmi les siens et de leur donner des outils pour gérer leurs différends, plutôt que de penser retrait de privilègesà l'hôpital ?

L'exemple souvent cité, provenant de G. Bateson lui-même, pour illustrer le double lien est celui du malade que la mère visite à l'hôpital. La mère a une réaction de retrait lorsqu'elle voit son fils s'approcher d'elle pour l'embrasser. Le fils se retire dans sa chambre. La mère lui reproche de ne pas vouloir venir l'embrasser. Le fils éclate et on est obligé de le contrôler pour éviter qu'il se blesse ou blesse les autres. On demande à la mère de sortir pour que les soignants puissent s'occuper de son fils. Les soignants n'ont pas vu alors à la finalité du traitement, le retour du malade chez lui, en utilisant la crise pour clarifier les divers messages: la peur de la mère et le besoin du fils d'être reconnu par sa mère malgré son handicap.

La maladie d'un membre d'une famille peut être vue comme le symptôme d'une relation pathogénique par les systémiciens. Cette origine de la maladie dans les relations malsaines fut progressivement ignorée en psychiatrie à la suite de l'épisode de Bettelheim et des mères schizophrénogéniques, ou encore des «parents réfrigérateurs», terme qu'utilisait Leo Kanner pour décrire l'origine génétique d'un enfant autiste. C'est Bettelheim qui a fait connaître cette théorie grâce à son livre *La forteresse vide*, publié en 1967 (voir la note 55) dans lequel il attribue non aux gènes, mais aux relations mère-enfant l'autisme d'un enfant. Les preuves que l'autisme était d'origine organique ont eu comme effet de condamner, par la suite, tous les cliniciens ou théoriciens qui croyaient pouvoir attribuer un symptôme aux contextes relationnels et communicationnels, comme si les deux s'opposaient.

16. Premier contact: L'importance du premier contact a été abordée par Bateson dans un livre qui porte sur les contacts entre les cultures: *Vers une écologie de l'esprit*, volume 1, Paris, Seuil, 1977, p. 27-87. Il y décrit comment, dès le premier contact, commence une différenciation des rapports qui, s'ils ne sont pas freinés dans leur orientation, peuvent en venir à subir l'éclatement. Les sujets en cause peuvent se soumettre ou s'imposer à l'autre dans une différenciation complémentaire, se différencier en rivaux, ou encore établir un rapport de réciprocité où les deux autres différenciations se freinent en oscillant entre elles.

    Lorsqu'un psychiatre rencontre un patient, au-delà de tout diagnostic s'installe un rapport, qui, s'il n'est pas établi dans la réciprocité, risque sans cesse d'éclater ou de faire de ses sujets des caricatures. On peut aussi voir en annexe les axiomes de la communication pour saisir ces dimensions relationnelles qui, si elles sont ignorées, peuvent nous entraîner bien loin de notre but.

    Je recommande au lecteur le livre de Robert Pauzé, Gregory Bateson, *Itinéraire d'un chercheur* (Toulouse, Éditions Éres, 1996), pour saisir la pensée de ce génie du XXe siècle.

Chapitre 4 : Le suicide en faits

17. Statistiques sur le suicide : Les dernières statistiques remontent habituellement à deux et même trois ans avant l'année où on fait la recherche, pour une discussion éclairée sur les données.
 « Suicide rates per 100,000 by country, year and sex (Table) ». World Health Organization. 2011.
 http://www.med.uottawa.ca/sim/data/Suicide_e.htm
 http://www.befrienders.org/suicide-statistics
 L'Agence de la santé publique du Canada a publié sur son site Internet un document sur la recherche sur le suicide au Canada. Aperçu descriptif de 1985 à 2003, qui pourrait intéresser le lecteur de toute origine : http://www.phac-aspc.gc.ca/publicat/mh-sm/suicide-research/a2-fra.php
 Le centre de documentation du Centre de recherche sur le suicide et l'euthanasie (CRISE) de l'Université du Québec à Montréal (UQAM) est un lieu précieux d'information : http://www.crise.ca/fr/cdd_intro.asp? section=cdd
 Voir V. Nanhou et coll. « Idées suicidaires et tentatives de suicide au Québec : un regard sur les liens avec l'état de santé physique ou mental et le milieu social », dans Institut de la statistique du Québec. Série Enquête sur la santé dans les collectivités canadiennes : *Zoom Santé*, n° 20, janvier 2010.
 http://www.stat.gouv.qc.ca/publications/sante/pdf2010/zoom_sante_jan10_no20.pdf
 Les théories sociologiques d'Émile Durkheim nous permettent de réfléchir sur les liens entre les valeurs d'intégration d'une société et le taux de suicide. Le texte suivant pourrait intéresser le lecteur sur la hausse du taux de suicide chez les Canadiens français entre 1973 à 1999, période durant laquelle le contexte d'intégration a tant changé.
 http://www.fss.ulaval.ca/cms/upload/soc/fichiers/rfsuicidecoronerjudithsophie.pdf
 En 1999, le Québec comptait 22 suicides par 100 000 habitants. En 2010, ce nombre avait chuté à 13,5, alors qu'en France il restait stable, à 16,2. Le lien suivant présente un bon résumé de l'évolution du taux de suicide au Québec, en comparaison avec les autres provinces et avec les pays de l'OCDE.
 http://www.aqps.info/media/documents/Suicide_Qc_INSPQ_miseajour2013.pdf
 Les deux liens suivants mettent en évidence l'importance de la problématique suicidaire dans certaines régions de France et le taux élevé de suicide en France en comparaison avec celui des autres pays européens.

http://www.sante.gouv.fr/etat-des-lieux-du-suicide-en-france.html
http://www.cepidc.inserm.fr/site4/

18. Facteurs de risque et de protection: http://www.preventionsuicide.be/view/fr/leSuicide/FacteursRisque.html
http://www.suicidepreventionlifeline.org/Learn/RiskFactors,
L'Association américaine de psychiatrie publie un guide pratique pour l'évaluation du suicidaire dans les divers contextes, ainsi que des tableaux à imprimer sur les facteurs de risque et de protection, entre autres: http://psychiatryonline.org/content.aspx?bookid=28§ionid=1673332
Les manifestations de violence dans les familles contribuent à accroître les risques de tentatives de suicide et de suicides chez les filles, d'après cette étude: Monique Séguin, M. Tourigny et J. Joly. «Child Maltreatment as Predictors of Suicidal Ideas and Attempts in a General Female Population», *International Journal of Psychology and Counseling*, 7: (8), 96-105. 78, septembre 2012.

19. Facteurs de vulnérabilité et d'intimidation: Madelyn Gould, de l'Université Columbia, au premier Congrès international sur le suicide qui s'est tenu en juin 2013 à Montréal, discutait de l'intimidation et de ses conséquences sur le suicide des jeunes. Elle nous faisait remarquer que l'intimidation seule ne peut être considérée comme la cause du suicide du jeune, car plusieurs facteurs y sont habituellement associés. Par ailleurs, Anat Brunstein Klomek et ses collègues, dans leur étude sur une population selon l'âge, ne peuvent arriver à des conclusions claires sur l'effet de l'intimidation sur le suicide des jeunes de moins de 25 ans.
Voir A.B. Klomek *et al.* «Childhood Bullying Behaviors as a Risk for Suicide Attempts and Completed Suicides: A Population-Based Birth Cohort Study», *Journal of the American Academy of Child & Adolescent Psychiatry*, vol. 48, n° 3, mars 2009, p. 254-261.
On ne peut donc mettre en évidence un lien clair entre l'intimidation et le suicide, ce qui ne veut pas dire qu'il n'y a pas de liens entre la souffrance du sujet intimidé et l'intimidation.

20. Accès aux services de santé: Kerry Knox, dans une présentation lors du même congrès, démontrait l'importance de l'accès aux services de santé pour la prévention du suicide chez les vétérans américains.
Voir A. Lesage *et al.* «Suicide and Mental Disorders: A Case Control Study of Young Men», *American Journal of Psychiatry*, 151.7. 1063-1068, 1994. Ces auteurs québécois démontraient, déjà en 1994, le lien entre les tendances suicidaires et la maladie mentale, et la nécessité pour les suicidaires d'avoir accès aux services de santé si l'on cherchait à diminuer l'incidence du suicide, alors très élevée au Québec (22 sur 100000 habitants).

21. Accès aux armes létales: Voir David J. Gunnel, Matt Miller et Dav Kapur. «L'accessibilité aux armes létales et les années perdues par les facteurs de risque du suicide», *The Lancet*, vol. 380, n° 9859, p. 2197-2223, 15 décembre 2012.
    Emma Elizabeth McGinty, Ph.D., M.S., Daniel W. Webster, Sc.D., M.P.H., Colleen L. Barry, Ph.D., M.P.P. «Gun Policy and Serious Mental Illness: Priorities for Future Research and Policy», Psychiatric Services, doi: 10.1176/appi. ps.201300141, 2013.
22. Impulsivité: Voir Harvard School of Public Health. «Means Matter», *Impulsivity and Crises*, Hawton, 2007. http://www.hsph.harvard.edu/means-matter/means-matter/impulsivity/
23. http://publications.msss.gouv.qc.ca/acrobat/f/documentation/2012/12-202-04F.pdf
24. Effet Werther: http://www.preventionsuicide.info/medias/werther.php
    L'effet Werther, ou suicide mimétique, est un phénomène qui fut mis en évidence en 1982 par le sociologue américain David Philipps, qui a étudié la hausse du nombre de suicides suivant la parution dans les médias d'un cas de suicide. Le nom est inspiré par une vague de suicides s'étant produits en Europe lors de la parution du roman de Goethe, *Les Souffrances du jeune Werther* en 1774 (Wikipédia).

Chapitre 5: Approche actuelle du suicide

25. Manipulation: Le diagnostic de «troubles de la personnalité» se substitue trop souvent aux problèmes interpersonnels entre le patient, les siens et le soignant. Le patient est perçu comme manipulateur parce qu'il tente de suivre son propre «programme» plutôt que celui de ses proches ou du soignant. Pourtant, ce critère (la qualité de manipulateur) ne fait pas partie des signes et symptômes des troubles de la personnalité. La sensation d'être contrôlé devrait plutôt amener les personnes impliquées à s'attaquer d'abord à la relation.
26. Voir Henry, M., M. Séguin et M. S. Drouin. «L'impact du suicide d'un patient chez des professionnels en santé mentale: différences entre les femmes et les hommes», *Frontières*, 21 (1), 2009.
    Castelli Dransart, D., E. Gutjahr, A. Gulfi, N. Kaufmann Didisheim et M. Séguin, *Patient suicide in institutions: Emotional response and traumatic impact on Swiss Mental Health Care Professionals. Death and Dying*, DOI: 10.1080/07481187.2013.766651, 2013.
    M. Séguin, V. Bordeleau, M. S. Drouin, D. A. Castelli-Dransant et F. Giasson, (sous presse). «Professionals' Reactions Following a Patient's Suicide: Review and Future Investigation», *Archives of Suicide Research*, 2013.

27. O'Neil. *Suicide Prevention Interventions and Referral/Follow-Up Services: A Systematic Review*, US Department of Veterans Affairs, 2012. http://www.ncbi.nlm.nih.gov/pubmedhealth/PMH0042045/
28. Preuves évidentes de l'efficacité de certaines approches: Deux approches donnent quelques directions sur des preuves d'efficacité: «A few high-quality RCTs of promising interventions, such as Problem-Solving Therapy or Dialectical Behavior Therapy, could change the strength of evidence for those interventions.» «Des études aléatoires avec cas contrôles de grande qualité portant sur les thérapies de résolution de problèmes et les thérapies dialectico-behaviorales pourraient enfin donner des preuves d'efficacité.» (Traduction libre.)
    http://www.dbtselfhelp.com/html/linehan_dbt.html
    La nécessité de prouver qu'une approche aux suicidaires est efficace peut entraîner un effet contraire à l'objectif visé, comme nous l'avons déjà mentionné. Des approches pourraient s'avérer efficaces une année, mais resteront-elles disponibles, et surtout accessibles à tous? En santé, et encore moins en santé mentale, aucune approche n'est préservée, du moins jusqu'à maintenant, pour de multiples raisons qui seraient à aborder dans un autre écrit.
    Par ailleurs, l'ignorance de la cause finale devient un problème éthique en soi. À la lumière des théories de la communication et de la complexité, il nous appartient de clarifier ce à quoi on ne veut pas arriver, et de s'entendre clairement sur la nécessité de la participation des acteurs concernés à utiliser d'autres chemins que ceux de la mort. C'est ce que Marsha Lenihan suggère à ses patients: «Entendons-nous sur les moyens sécuritaires pour aborder par la suite les autres étapes du traitement.» Elle ne le fait pas toujours avec la famille, cependant.
29. Les traitements comportent aussi leurs risques: Voir M. K. Nock. «Prevalence Correlates and Treatment of Lifetime Suicidal Behavior Among Adolescents. Results from the National Comorbidity Survey Replication», *JAMA Psychiatry*, 70, 300-310, 2013.
    Selon une étude récente, 55% des jeunes ont continué à avoir des idées suicidaires, formulé des plans, attenté à leur vie ou se sont tués en cours de traitement; des adolescents seraient même devenus suicidaires en cours de traitement, alors qu'ils ne l'étaient pas au début de celui-ci. Cet article a fait la une des journaux occidentaux; on y découvre que la thérapie du suicidaire est loin de faire foi de tout.
30. Récursivité, spirale de la récursivité, dialogique, hologramme, complexité vont ensemble: Edgar Morin disait, lors d'une entrevue sur les paradoxes de la complexité: «Tout tourne autour de la complexité, mais l'idée centrale est celle de la récursivité. Cette façon de penser concerne pratique-

ment tous les domaines. L'idée de récursivité heurte la logique claire, aristotélicienne: un processus dont les produits sont nécessaires à sa propre production, c'est-à-dire dont l'effet devient cause, ou dont le produit devient producteur! » Gérard Blanc. « Les paradoxes de la complexité, entretien avec Edgar Morin », *Revue Coévolution*, nº 11, hiver 1983.
Cette dérive que donne la récursivité à l'auto-organisation de l'être autonome est très bien symbolisée par l'idée de spirale. En présentant le syndrome de la grenouille (chapitre 8), j'avais en tête la spirale de récursivité d'Edgar Morin. Un peu plus de la même chose vient à donner autre chose ou vient à se dissiper (principe d'entropie) s'il n'y a pas de correction venant d'une source d'information intérieure (réflexion) ou extérieure. Dans le jeu du chat et de la souris, la souris peut devenir de plus en plus astucieuse et parvenir à déjouer la surveillance du chat. Le soignant est averti de ne pas tomber dans le rôle de sauveur ou de protecteur, mais comment ramener la spirale vers son centre? Ce redressement vers l'autogestion dans les rapports thérapeutiques dépend aussi des proches du suicidaire.
Edgar Morin, dans son livre *Méthode 6. Éthique,* utilise le terme dialogique pour décrire la nécessité de s'ouvrir aux différences pour comprendre un ensemble complexe. Par exemple, plutôt que de qualifier de résistance ou d'opposition le comportement qui va à l'encontre du but thérapeutique visé par le soignant, intégrer cette opposition comme une information pertinente permettrait de respecter la complexité de l'ensemble. Dans nos propos sur le suicide, le refus, par un parent, de l'hospitalisation de l'un des siens devrait nous amener à modifier le projet d'aide au suicidaire, si cela est nécessaire. Dans le guide de pratique de l'APA en 2003, on pouvait lire que le jugement du psychiatre devait l'emporter sur le désir des proches lorsque la dangerosité était évidente aux yeux du praticien. Cette recommandation allait à l'encontre du principe dialogique de la complexité. Il ne s'agit pas de nier la crainte du clinicien, mais de redéfinir la finalité de l'intervention et d'évaluer ensemble, avec les personnes concernées, les risques inhérents aux décisions prises. Cependant, le guide de pratique encourageait et encourage encore l'installation d'un contexte de collaboration entre l'évaluateur et le suicidaire et ses proches. Dès les premières pages, il souligne les dangers d'adopter le rôle de sauveur face au suicidaire, mais il ne décrit pas les moyens à prendre par l'évaluateur pour installer et maintenir un contexte de collaboration avec les siens lorsque la sécurité du suicidaire est en jeu.
Pour Edgar Morin, l'éthique est complexe: il n'y a pas qu'une seule bonne réponse, et la nécessité de réorganisation est constante.

Hologramme : Dans le tout se trouve la partie, de la même façon que se trouve l'ADN dans chacune des cellules.

Complexité : On doit modéliser, simplifier un système complexe pour le comprendre (le trajet d'une route, par exemple). Il serait simpliste, par ailleurs, de ramener le corps à sa plus simple unité. Dans le corps, toutes les cellules sont au courant du plan global tout en étant spécialisées dans une fonction. Si elles le peuvent, elles peuvent prendre les fonctions d'autres cellules pour la survie du corps (voir l'exemple de l'oiseau B95 à la note 79). C'est l'hologramme. Toutes connaissent le plan et savent quoi faire. Ainsi, un bon leader disparaît et tous savent quoi faire. Voir à ce sujet J. L. Lemoigne. *La modélisation des systèmes complexes*, Paris, Afcet Systèmes, Dunod/Bordas, 1990.

Chapitre 6 : L'erreur fondamentale de la psychiatrie scientifique

31. H. Wallot (préface de Camille Laurin). *Entre la compassion et l'oubli : La danse autour du fou*, Montréal, Éditions MNH, 1998, p. XIX.
32. *Op. cit.*, p. 32-33.
    P. Pinel. *Traité médico-philosophique sur l'aliénation mentale, ou la manie*, Paris, Richard, Caille et Ravier, 1801, p 46-47.
33. *Op. cit.*, p. 32.
    M. Foucault. *Histoire de la folie à l'âge classique*, 2e édition, Paris, Gallimard, 1972, p. 523, cité dans P. Keating. *La science du mal : L'institution de la psychiatrie au Québec : 1800-1914*, Montréal, Boréal, 1993, p. 16.
34. Psychotropes : Voir, sur le site de l'hôpital Douglas (www.douglas.qc.ca) : *La psychiatrie nous a-t-elle débarrassés de la « folie » ?*, un cours du Dr Mimi Israël. Cette dernière décrit bien l'effet du Largactil sur le terrain de l'hôpital Douglas et dans les maisons environnantes.
35. Psychotropes en chirurgie : Déjà en 1964, au moment de mon stage en chirurgie, le chirurgien en chef, lors de la tournée de ses patients opérés, nous demandait de prescrire de l'etrafon, une double molécule d'antidépresseur et de tranquillisant majeur, en employant cette formule abrégée : « Etrafonnez ce patient ! »
36. DSM : *Diagnostic and Statistical Manual of Mental Disorders*. Le lecteur pourra mieux comprendre l'évolution de la psychiatrie scientifique en allant sur le site de Wikipédia, qui situe bien la place du DSM-III avec le Dr Robert Spitzer et l'orientation médicale que cette classification a donnée à la psychiatrie en 1980, ce que les DSM précédents n'avaient pas fait. Dans les années 1970, la psychiatrie postmoderne faisait son apparition. Camille Laurin, dans la préface du livre d'Hubert Wallot cité plus haut, écrivait ceci dans les années 1990 : « Les maladies mentales sont de plus en plus abordées sous l'angle systémique » (p. XIII).

Cependant l'approche systémique allait prendre une courbe descendante. L'effet Bettelheim avait aussi freiné le mouvement vers l'intégration des théories systémiques en pédopsychiatrie dans l'évaluation des enfants autistes, dont le nombre commençait à s'accroître dans les années 1980 avec le DSM-III.

37. G. L. Engel. «The Clinical Application of the Biopsychosocial Model», *American Journal of Psychiatry*, 137 : 535–544, 1980.
38. Rétablissement et soins partagés : Plusieurs textes ont été publiés sur le Rétablissement. L'Institut universitaire de santé mentale Douglas a reçu divers témoignages de ceux et celles qui ont expérimenté cette approche.

    Par ailleurs, au Canada, la Commission de la santé mentale a joué un rôle clé dans la proposition de l'approche du Rétablissement. http://www.mentalhealthcommission.ca/Francais

    Voir Care Services Improvement Partnership (CSIP), Royal College of Psychiatrists (RCPsych), et Social Care Institute for Excellence (SCIE). *A Common Purpose : Recovery in Future Mental Health Services*, 2007.

    PP Presentation at Douglas Institute with Horst Peters and Brandi Randell on Empowerment & Recovery in Mental Illness, www.douglas.qc.ca

    Course # 69 : 366, – Acute mental Heath Challenges, www. cmhamanitoba. ca

    Voir aussi la note 11 concernant l'*empowerment*.
39. Sur l'évaluation des campagnes anti-stigmatisation : http://www.theguardian.com/healthcare-network/2013/apr/03/mental-health-anti-stigma-campaign

    B. A. Pescolido *et al.* «A Disease Like Any Other ? A Decade of Change in Public Reactions to Schizophrenia, Depression, and Alcohol Dependence», *American Journal of Psychiatry*, 167 (11) : 1321-30, novembre 2010.
40. Voir, à la note 10, la citation de Peter Kinderman *et al.*

Chapitre 7 : Vers une psychiatrie postmoderne

41. C. Lafontaine. *L'empire cybernétique : Des machines à penser à la pensée machine*, Paris, Seuil, 2004, p. 158.

    Voir aussi la note 14.

    Entrevue avec Edgar Morin : http://www.revue3emillenaire.com/blog/les-paradoxes-de-la-complexite-entretien-avec-edgar-morin/
42. Voir Christian Côté, «Historique de la systémique en santé mentale», dans Louise Landry Balas. *L'approche systémique en santé mentale*, Montréal, Presses de l'Université de Montréal, 2008, p. 45-47, au sujet

du développement de la pensée d'Edgar Morin et des notions reliées d'imprévisibilité et de complexité. On peut aussi consulter la note 8.

43. Le devoir de « gardien de son frère » : Théo Klein, avocat, ex-président du Conseil représentatif des institutions juives de France (CRIF), auteur des ouvrages *Petit traité d'éthique et de belle humeur* et *Israël survivra-t-il ?*, définit ainsi le rôle de « gardien de son frère » : « "Suis-je le gardien de mon frère ?" (Genèse IV, 9) est la question posée par la Bible lorsque, pour la première fois, les frères Caïn et Abel, premiers-nés d'Adam et Ève, se sont retrouvés en compétition. Le mot hébreu utilisé par la Bible a le sens de celui qui veille sur quelqu'un et non pas de celui qui garde quelqu'un ou le surveille. » En anglais, le verbe *to care for* évoque bien ce que veut dire un rapport fraternel, c'est-à-dire veiller à l'intérêt des siens sans surprotection, alors que le verbe *to take care of* signifie protéger. Si on se donne unilatéralement, sans entente officielle, le mandat de « prendre soin de », c'est là qu'on entrave l'autonomie de l'autre, que l'on agit en sauveur à son égard. Dans le cas d'une personne dont l'inaptitude est reconnue par la cour, on peut prendre soin de l'autre, car on l'a informée officiellement de son statut de personne inapte à décider par elle-même, pour elle-même.

44. Voir note 15.

45. Les psychiatres urgentistes américains ont proposé à la fois une médication et une approche interpersonnelle pour contrôler les patients agités dans les urgences. Ces recommandations s'avèrent fort efficaces dans les lieux où elles sont appliquées pour diminuer le nombre de contention dans les urgences. On mise ici sur la participation du patient agité. L'article fut très bien reçu dans le monde des urgentistes généraux, alors qu'il se veut une approche intégrée de respect de l'autonomie et de traitements dans des moments importants de crise.
    Voir H. H. Holloman et S. L. Zeller. « Overview of Project BETA: Best Practices in Evaluation and Treatment of Agitation », *Western Journal of Emergency Medicine*, 13 (1) : 1-2, doi : 10.5811/westjem.2011.9.6865, février 2012.

46. Les docteurs Weed, père et fils, décrivent en 2011 ce que le père Lawrence, avait déjà proposé en 1975. Son idée était d'entrer dans un programme électronique spécifique les symptômes observés chez le patient pour en arriver rapidement au diagnostic. De là, le médecin pourrait s'occuper des traitements et des ajustements des diverses interventions.
    Voir L. Weed et L. Weed. *Medicine in Denial*, imprimé par Createspace, 2011.
    L.L. Weed. Knowledge *Coupling : New Premises and New Tools for Medical Care and Education*, Springer-Verlag, 1991. Le chapitre 13 de ce dernier

ouvrage (K. A. Bartholemew, «The perspective of practitioner», débutant par «Coupler's from a patient perspective») est particulièrement inspirant pour une pratique permettant la participation du patient. http://thehealthcareblog.com/blog/2013/05/22/medicine-in-denial-what-larry-weed-can-teach-us-about-patient-empowerment/

47. Le docteur Allen Frances, qui a été le président du comité du DSM-IV et est maintenant professeur émérite de l'université Duke, a écrit clairement son opposition au DSM-5 en signalant les dix pires changements de cette dernière classification dans un article publié dans *Psychology Today* (2 décembre 2012). Cette phrase résume son inquiétude: «Many millions of people with normal grief, gluttony, distractibility, worries, reactions to stress, the temper tantrums of childhood, the forgetting of old age, and "behavioral addictions" will soon be mislabeled as psychiatrically sick and given inappropriate treatment.»

2e PARTIE – SYSTÈMES, PROTECTIONNSIME ET ÉTHIQUE

Chapitre 8: Comprendre la perspective systémique et le changement

48. Voir la note 39.
49. Voir Isabelle Orgogozo et Hervé Serieyx. *Changer le changement: on peut abolir la bureaucratie,* Paris, Seuil, 1989. Les auteurs expliquent dans l'avant-propos le choix du titre: «Tout grand système peut changer pour peu qu'on ne commence pas par analyser les blocages (quels sont les freins? qu'est-ce qui ne va pas? etc.), mais qu'on accepte de changer le changement: c'est-à-dire que l'on adopte les approches neuves qui prennent le système à contre-pied, l'empêchent de se verrouiller sur ses freins et exaltent tout ce qui crée mouvement, respiration, vie.» Ils ont parfaitement expliqué le changement du changement pour notre propos. En effet, une personne qui pense à en finir doit accepter avec les siens que ni la personne suicidaire ni les siens ne peuvent continuer de la même façon. Comment reprendre autrementpour se faciliter à tous l'accès aux chemins de la vie? Beaucoup plus facile à faire avec un groupe de personnes dans une approche systémique qu'avec les bureaucraties!

    Voir aussi P. Asselin et J. P. Gagnier. «Aider les jeunes en difficulté au-delà du diagnostic: une expérience novatrice au Québec», *Cahiers critiques de thérapie familiale et de pratique de réseaux,* n° 38, 2007, p. 193-210. Ces cliniciens ont aidé ces jeunes dans une approche systémique, une innovation en 2007! Cette approche ne fait pas encore partie de l'approche habituelle et fait souvent peur, car elle fait participer le jeune au maintien de sa propre sécurité. Elle intègre ces deux aspects, sécurité et développement personnel, dans l'action réfléchie, ce qui bouscule soignants et divers niveaux d'autorité tant parentale qu'institutionnelle. C'est une nouvelle perspective que l'on peut retrouver dans d'autres pratiques, illustrées entre autres dans le texte suivant: BEUGNOT, S. et ROY, L. «Thérapie de groupe systémique en oncologie : faire face à la crise relationnelle» Bruxelles, *Cahiers critiques de thérapie familiale et de pratiques de réseaux*, n°43, 2009, p. 239-260.

50. Voir F. Furet. *Le passé d'une illusion*, Paris, Calman Lévy et Robert Laffont, 1995.
51. Pour la neuroplasticité, voir ces deux auteurs: D. Goleman. *Cultiver l'intelligence relationnelle*, Paris, Robert Laffont, 2006, 2009 (voir note 1) et N. Doidge. *The Brain That Changes Itself. Stories of Personal Triumph from the Frontiers of Brain*, Paperback, 2007; *Les étonnants pouvoirs de transformation du cerveau*, Belfond, Paperback, 2008.
52. Voir les notes 11, 14 et 38.
53. Voir la note 39.
54. Voir ci-dessous et la note 15.
55. Voir B. Bettelheim, *The Empty Fortress: Infantile Autism and the Birth of the Self*, Paperback, 1967; *La forteresse vide*, Paris, Gallimard, 1998. Voir aussi la note 36.
56. Éthique de la réciprocité ou règle d'or: J'invite le lecteur à consulter la page http://regledorvitale.centerblog.net/4-regle-or-ou-ethique-de-reciprocite. Cette règle d'or fait partie de toutes les religions, ainsi que du bouddhisme.

Chapitre 9 : Le protectionnisme, un système complexe pathogénique

57. Voir L. C. Wynne *et al.* «Psychomutuality in the Family, Relations of Schizophrenia», *Psychiatry*, 21, 1958, p. 205-220.
58. J'ai décrit le protectionnisme dès 1980. J'ai publié sa première version en anglais en 1991 dans *Emergency Psychiatry Today*, Van Luyn, J. B. et coll., Elsevier, sous le titre «Protectionism: A Pathogenic Relational Process», et par la suite dans plusieurs autres livres et journaux scientifiques. Dans mon livre *Aider sans nuire: De la victimisation à la coopération*, publié en 1998 aux Éditions Lescop, j'ai voulu décrire le modèle pour l'urgentiste général qu'est chaque personne à un moment ou l'autre d'une crise.

    Isabelle Orgogozo suggérait de créer un néologisme, le «protectorisme», pour désigner le rapport interpersonnel entre le protégé et son protecteur, et ainsi faire la distinction entre l'ensemblle familial et le protectionnisme économique.
59. Voir la note 30.

60. Lors des journées de thérapie familiale, «Chaos et complexité, l'approche systémique en santé», organisées en 1993 à Québec par plusieurs systémiciens du Québec dont Guy Ausloos, Robert Pauzé, Jean Parratte, Louise Landry Balas, Diane Beauséjour, Christine Archambault et Michèle Cousineau, entre autres, une des conférencières invitées, Isabelle Orgogozo (voir note 49), avait su nous expliquer clairement que compliqué n'était pas synonyme de complexe. Par la suite, elle a eu l'amabilité d'écrire une postface à mon livre *Aider sans nuire*, au moment de sa réédition. C'est elle qui m'a suggéré de faire le diagramme de cette «roue de la victimisation» pour rendre mes séances d'intervention familiale plus ludiques et porteuses de changement.
61. *Amour*, film franco-autrichien réalisé par Michael Haneke, mettant en vedette Jean-Louis Trintignant et Emmanuelle Riva, 2012. Le film *Amour* vaut la peine d'être vu pour quiconque souhaite comprendre les dérives graves pouvant découler d'une compréhension symbiotique de l'amour.

Chapitre 10 : Éthique de la réciprocité

62. Cellules miroir: Voir D. Goleman, *op. cit.*, p. 71-77, et note 1. La découverte de ces cellules donne un fondement au langage analogique, à notre apprentissage par imitation, à la sympathie et à l'empathie. Ces cellules miroir pourraient nous aider à comprendre la stigmatisation: nous voulons envoyer chez le spécialiste toute personne perçue comme troublée, ne pouvant, nous-mêmes, nous comprendre avec elle tout en craignant de la blesser en lui parlant comme à une personne normale. Par exemple, lorsqu'on rencontre une personne qui présente un trouble mental, il nous est fort difficile de nous mettre à sa place. Notre propre trouble d'avoir découvert une telle désorganisation nous amène à la protéger tant de ce que nous ressentons que de ce qu'elle ressent, et à la surveiller pour que rien de malheureux ne lui arrive. Elle est à la fois devenue une étrangère et une des nôtres à protéger. La relation vient de changer sans que nous l'ayons vraiment décidé. Voir aussi la note 2 concernant le suicide assisté.
63. Voir D. Hoy. *Critical Resistance from Poststructuralism to Postcritique*, Boston, Massachusetts Institute of Technology, 2005.
64. Voir E. Morin, *La Méthode 6, Éthique*, Paris, Seuil, 2004.
    L'article de Philipe Lemaire sur *La Méthode*, intitulé «Éthique complexe du devoir d'aide... continue – Une chronique», *La NRM*, n° 12, mars 2005, pourrait éclairer le lecteur sur les propos d'Edgar Morin.
    Aussi, cet entretien avec Edgar Morin permet de réfléchir sur la complexité et les aspects éthiques en jeu dans nos rencontres avec le suicidaire et les siens: http://www.revue3emillenaire.com/blog/les-paradoxes-de-la-complexite-entretien-avec-edgar-morin/

65. Réflexe rotulien: Voir chapitre 11, Ce qu'il ne faut plus faire, n° 13.
66. Voir S. Pinker. *The Blank Slate: The Modern Denial of Human Nature,* Penguin Books, 2002 p. 145.

Chapitre 11 : Ce qu'il ne faut plus faire/ce qu'il faut essayer

67. Le Hitler en moi: Certains diront que j'y vais un peu fort en mentionnant Hitler. C'est en assistant au film *Le choix de Sophie,* réalisé par Allan J. Pakula, tiré du roman de William Styron, que j'ai réalisé qu'il pouvait bien y avoir un creuset où la violence (voir note 30, Hologramme) pouvait se produire tant en moi que chez les autres. Comment mettre fin à toute manifestation qui, de près ou de loin, pouvait me faire ressembler à ce soldat d'une vingtaine d'années qui avait complètement effacé l'humain en lui ? En voyant ce jeune Allemand dire à Sophie, comme si cela allait de soi, qu'elle devait choisir entre son fils et sa fille, tous deux âgés de moins de 10 ans, soit le camp d'enfants pour l'un et la chambre à gaz pour l'autre, j'ai compris qu'un être humain coupé de son empathie pouvait devenir un bourreau. J'ai aussi compris la chaîne des coups de pied dans les organisations. Ayant, à ce moment-là, deux enfants du même âge, pour calmer mon déchirement, et croyant à la réappropriation de mon pouvoir d'agir, je me suis demandé ce que je pouvais faire pour ne jamais en arriver à proposer un tel choix à quelqu'un, ni ne jamais encourager de tels choix dans la société où je vis. J'ai pris l'engagement personnel de ne jamais participer à une chaîne de coups de pied, où que ce soit.

    Je ne devrais plus avoir à me soumettre à un ordre, à une religion, à une croyance, mais veiller à ce qu'il y ait de plus en plus de choix pour tous. Aborder ainsi la complexité et accepter la dialogique en m'inspirant de la finalité dans les moyens utilisés pour faire des changements !
68. Voir J. Spiker *et al.* « Psychotherapy, Antidepressants, and Their Combination for Chronic Major Depressive Disorder: A Systematic Review/ Psychothérapie, Antidépresseur et leur Combinaison pour le Trouble Dépressif Majeur Chronique : Une Revue Systématique », *Canadian Journal of Psychiatry,* 58 (7) : 386-92, juillet 2013.

    P. Cuijpers *et al.* « Psychotherapy Versus the Combination of Psychotherapy and Pharmacotherapy in the Treatment of Depression : A Meta-Analysis », *Depression and Anxiety,* 26 (3) : 279-288, 2009. http://www3.interscience.wiley.com/journal/121530005/abstract
69. « Sequenced Treatment Alternatives to Relieve Depression (STAR*D) Study », *National Institute of Mental Health.*

    G. Katz. « Tachyphylaxis/Tolerance to Antidepressants in Treatment of Dysthymia: Results of a Retrospective Naturalistic Chart Review Study », *Psychiatry and Clinical Neurosciences,* 65 : 499-504, 2011.

70. Voir D. Goleman, *op. cit.*, note 1, p. 35.
71. Voir S. J. Blakemore. «The Developing Social Brain: Implications for Education», *Neuron*, 65 (6), 2010, p. 744-747.
72. Voir M. Williams *et al. Méditer pour ne plus déprimer: la pleine conscience, une méthode pour vivre mieux* (CD inclus), Paris, Odile Jacob, 2010.
    C. André, *Méditer jour après jour* (CD inclus), Paris, Iconoclaste, 2011.
    Le lecteur qui souhaite accéder à la liste de livres sur la pensée de Thich Nhat Hanh et de John Kabat-Zinn, et à d'autres livres sur la pleine conscience pourra aller sur le site de l'Institut de pleine conscience appliquée de Montréal: www.pleineconscience.org/
    Cette liste a été préparée pour un atelier présenté conjointement par l'Institut et moi-même au congrès annuel de l'Association des médecins psychiatres du Québec (AMPQ), en juin 2013.
73. Arwen Faulknera publié un essai dans le *Globe & Mail* (cahier «Globe Life & Arts»), le 9 septembre 2013, intitulé «Changing my Brain». Le sous-titre en était (traduction libre): «J'ai traversé bien des abus sexuels dans ma vie, mais j'ai enfin l'espoir de pouvoir me guérir.»
    Dans son état de stress post-traumatique, elle avait fait confiance à son cerveau et aux changements qu'elle pouvait y opérer pour vivre enfin une vie normale.
74. Ivan Tolstoï. *Anna Karénine*, 1877. Le film, tiré du roman, réalisé par Joe Wright (2012) permet au lecteur de voir cette descente aux enfers de l'héroïne.
75. P. Besson. *Une bonne raison de se tuer*, Paris, Julliard, 2012. On y retrouve cette phrase: «Excusez-moi, je n'avais rien d'autre à faire.»
76. Voir L. Broverman *et al.* «Sex Role Stereotypes and Clinical Judgments of Mental Health», *Journal of Consulting and Clinical Psychology*, n° 34, 1970, p. 1-7.
77. N. Doidge, voir note 51.
78. L'oiseau B95: «C'est une bestiole exceptionnelle, qui parcourrait plus de 600 000 km au cours de sa vie, soit 1,5 fois la distance Terre-Lune, bravant tempêtes, ouragans, pétrole et autres embûches. Pierre Gingras raconte le périple de la petite bête et de ses congénères, dont le nombre ne cesse malheureusement de chuter.»
    http://www.radio-canada.ca/emissions/cest_bien_meilleur_le_matin/2010-2011/chronique.asp? idChronique=308548
79. Sa Sainteté le Dalaï Lama, avec la collaboration de Jeffrey Hopkins. *Cheminer vers l'éveil*, Paris, Plon, 2009, p. 162-170.
80. Voir la note 17.
81. Les commissions de la vérité et de la réconciliation: http://www.trc.ca/websites/trcinstitution/index.php?p=15

Chapitre 13 : Deuxième niveau de prévention : lors de la crise suicidaire

82. Voir K. Kroenke, R. L. Spitzer et J. B. Williams. «The PHQ-9 : Validity of a Brief Depression Severity Measure», *Journal of General Internal Medicine,* 16 (9) : 606-613, 2001.
    L'échelle de dépression PHQ-9 est disponible gratuitement dans toutes les langues : http://www.pearlsprogram.org/Conducting-PEARLS/PHQ-9.aspx
83. Voir B. Stanley. Pour le plan de sécurité, voir http://www.mentalhealth.va.gov./docs/va_safety_planning_manual.pdf
    Pour la formation à cette échelle : http://c-ssrs.training-campus.net
    Posner, K. *et al.* «The Columbia-Suicide Severity Rating Scale: Initial Validity and Internal Consistency Findings From Three Multisite Studies With Adolescents and Adults», *Am J Psychiatry,* 2011, 168, p. 1266-1277; doi:10.1176/appi.ajp.2011.10111704

Chapitre 14 : Troisième niveau de prévention : là où l'auteur ne veut plus être

84. Voir G. et M. C. Bateson. *La peur des anges,* Paris, Seuil, 1989.
    Le titre auquel Bateson avait pensé pour ce livre portant sur le sacré, en passant par le religieux comme métaphore, lui un athée, était *Where Angels Fear to Tread.* En intitulant ce chapitre «Là où l'auteur ne veut plus être», je pensais à ce titre de Bateson, car chaque fois que je me suis retrouvée dans une telle situation clinique, coincée dans des rapports protectionnistes sans *momentum* de crise, je me disais : il faut écrire sur ce sujet, car même un ange, un esprit, deviendrait un diable dans une telle situation. Aucune solution n'est bonne, d'autant plus que, dans ma position de psychiatre, je devrais être celle qui sonne l'alarme. Mais impossible de sonner l'alarme lorsqu'on est calfeutrée dans les bonnes pratiques.
85. Guy Ausloos propose, comme moyen, aux urgences, de remobiliser la famille autour d'une personne qui a attenté à sa vie, une rencontre virtuelle au salon funéraire. «Que vous diriez-vous si elle était morte ?» Des propos de réconciliation des uns envers les autres émergent. Tous repartent avec de meilleurs sentiments les uns envers les autres. Ils ont plus de chances de découvrir enfin les chemins de la vie.
    Voir Guy Ausloos. *La compétence des familles,* Toulouse, Ériès, 1995.
86. Voir Paul Watzlawick, Janet Helmick Beavin et Don D. Jackson. *Une logique de la communication,* Paris, Seuil, 1972.
87. Gregory Bateson, *Vers une écologie de l'esprit* (deux tomes), Paris, Seuil, 1977 et 1980.
88. Suzanne Lamarre, *Aider sans nuire : De la victimisation à la coopération,* Montréal, Lescop, 1998.
89. Voir L. Piaget et I. Bärbel. *La psychologie de l'enfant,* Quadrige, PUF, 2004.

Index

R

Remerciements

Un tel livre ne peut provenir d'une seule personne. Il constitue le creuset où se retrouvent les diverses influences d'une vie : tous ceux et celles que j'ai croisés sur mon chemin ou qui m'ont accompagnée pour de courts et de longs parcours font partie de ce livre. Plusieurs se demanderont si c'est d'eux que je parle dans mes histoires ou dans mes exemples, ou si je me suis inspirée d'eux dans mes réflexions. Si je vous ai croisés déjà, eh bien, vous êtes là, dans ces pages. J'espère que même ceux et celles que je n'ai pas rencontrés pourront s'y reconnaître.

Les interactions que suggérera cet ouvrage pourront se poursuivre, même, espérons-le, jusque sur les réseaux sociaux. C'est là la récursivité dont j'ai parlé tout au long du livre. Produits et producteurs interagissent dans des réseaux qui ne cessent de se revigorer et de se régénérer dans ces interactions. On se sent déjà reconnaissant, remercié d'avoir pu participer aux changements qui affectent tout un chacun.

Je ne pouvais pas ne pas écrire ce livre. Je ne pouvais pas ne pas partager ce regard intérieur de la psychiatrie avec ceux et celles qui bénéficient des services de santé mentale ou qui pensent à le faire. Je ne pouvais pas non plus, après 30 ans de pratique en clinique d'urgences et de crises psychiatriques, ne pas donner mes recommandations sur la façon de se maintenir en bonne santé, qu'on soit aux prises ou non avec la maladie. Pourquoi faire un livre sur le suicide pour le public en général ? Parce que nous ne pouvons pas nous passer de ce dernier dans le monde complexe de la psychiatrie. Nous dépendons plus ou moins de nos patients pour être de bons psychiatres, car beaucoup se joue dans la relation. La participation d'un patient éclairé et des siens fait la différence dans l'efficacité des traitements.

J'ai toujours ressenti, en effet, la plus grande gratitude à l'égard de mes patients et patientes et de leurs proches. Je savais que si j'étais une bonne psychiatre, c'était grâce à eux, et que si j'étais plutôt moche comme psychiatre, c'était que je n'avais pas su installer un contexte de collaboration, qu'ils se méfiaient trop de la professionnelle que j'étais pour risquer la confiance dans la gestion de nos différends. Ils m'ont incitée à écrire ce livre pour faciliter, pour ceux et celles qui craignent d'y perdre leur identité de personne valable, l'accès aux services de santé mentale afin d'y découvrir un lieu, un temps pour retrouver leur équilibre avec les leurs, avec ou sans diagnostic de maladie.

J'ai côtoyé tant de gens qui m'ont soutenue dans mon travail et avec lesquels j'ai partagé les plaisirs et les revers de la pratique, ainsi que les activités associatives, que la liste serait trop longue si je souhaitais les nommer tous. Je salue donc mes collègues de l'hôpital Rivière-des-Prairies, de l'hôpital Charles-Lemoyne, de l'hôpital Douglas où j'ai eu la chance de démarrer le premier service d'urgences psychiatriques avec Jacques Champigny, Diane Beauséjour, Christine Archambeault, Donald Desrosiers, Hani Iskandar, Pierre Migneault, qui ont continué à m'accompagner dans d'autres projets par la suite.

J'ai fait partie de nombreuses associations, mais les membres de certains regroupements sur l'urgence psychiatrique et l'approche systémique m'ont influencée davantage au cours de ma pratique, soit l'International Association for Emergency Psychiatry (IAEP), l'Association francophone d'études et de recherches d'urgences psychiatriques (AFERUP) et les liens que j'y ai tissés avec des collègues, principalement européens, l'American Association for Emergency Psychiatry (AAEP), le groupe de la revue *Thérapie familiale* et la défunte Fondation pour la recherche en approche systémique.

Pour ce qui est de mon entourage actuel, je pense en particulier à ceux et celles qui m'ont donné le temps de rédiger cet ouvrage que je ne pouvais remettre à plus tard. Je remercie mes collègues psychiatres du centre hospitalier St. Mary, qui m'ont accordé une année sabbatique en 2013. Je rends hommage à mes collègues travailleurs sociaux, psychologues, infirmières du département de psychiatrie, au personnel administratif de mon hôpital, sans oublier les bibliothécaires. Ils ont su si bien m'accompagner dans mes réflexions et mes actions au cours de ces dernières années.

Si une Céline Dion n'avait pas pu connaître autant de succès sans son impresario René Angelil, une Suzanne Lamarre ne serait pas allée loin sans son agente littéraire, Agnès Roux-Saint-Laurent. Elle a su convaincre les Éditions de l'Homme de publier ce livre, et je remercie cet éditeur pour sa confiance.

Pour assurer que les écrits soient pertinents, des lecteurs des dernières épreuves sont essentiels. Je ne saurais trop remercier les 10 lecteurs qui m'ont touchée par le temps qu'ils ont mis à la révision de l'œuvre. Leurs commentaires, visant à signaler des problèmes dans la clarté du texte ou à proposer des ajouts ou des changements pour y remédier, m'ont convaincue que le livre est aussi quelque peu le leur. Ce sont d'ailleurs tous des amis : Huguette Bélanger, Louise Charbonneau, Marc-Antoine Gingras, Isabelle Orgogozo, Diane Beauséjour, Michael Sheehan, Monique Séguin, Linda Roy. Et bien sûr, ma sœur et amie, Madelaine, ainsi que ma voisine et amie, Linda Cesaretto.

Je n'oublie pas les miens. Enfant d'une famille nombreuse, je n'ai jamais su vraiment si j'avais un prénom tellement je me sentais indissociable de mon entourage dans mon identité. Comme épouse, mère et grand-mère, cette impression s'est continuée. Je veux exprimer toute ma gratitude à ces êtres chers qui m'entourent et qui me rendent la vie si facile. C'est aussi leur œuvre que ce livre. Un merci particulier à mon mari, Jean-Marc, pour son soutien indéfectible tout au long de ces années !

Je continuerai à me nourrir et à développer mes pensées avec vos remarques, vos expériences et vos partages de moments de vie.

Avec tout mon cœur et mon esprit,
SUZANNE LAMARRE

Table des matières